THE BEST GUITAR CHORD SONG BOOK EVER 2

PARTS 5-8

This publication is not authorised for sale in the
United States of America and/or Canada.

Wise Publications
London/New York/Paris/Sydney/Copenhagen/Madrid

Exclusive Distributors
Music Sales Limited
8/9 Frith Street
London W1V 5TZ, UK

Music Sales Pty Limited
120 Rothschild Avenue
Rosebery, NSW 2018,
Australia.

Order No. AM962181
ISBN: 0-7119-7993-6
This book © Copyright 2000 by Wise Publications
in association with Omnibus Press

Book design by Chloë Alexander
Photographs courtesy of London Features International

Printed in the United Kingdom by
Caligraving Ltd, Thetford, Norfolk.

Your Guarantee of Quality:
As publishers, we strive to produce every book to the highest commercial standards. The
music has been freshly engraved and has been carefully designed to minimise awkward
page turns and to make playing from it a real pleasure. Particular care has been given to
specifying acid-free, neutral-sized paper made from pulps which have not been elemental
chlorine bleached. This pulp is from farmed sustainable forests and was produced with
special regard for the environment. Throughout, the printing and binding have been planned
to ensure a sturdy, attractive publication which should give years of enjoyment. If your copy
fails to meet our high standards, please inform us and we will gladly replace it.

Music Sales' complete catalogue describes thousands of titles and is available in full colour
sections by subject, direct from Music Sales Limited. Please state your areas of interest and
send a cheque/postal order for £1.50 for postage to: Music Sales Limited, Newmarket Road,
Bury St. Edmunds, Suffolk IP33 3YB.

www.musicsales.com

www.omnibuspress.com

THE BEST GUITAR CHORD SONGBOOK EVER!

CONTENTS

Relative Tuning

The guitar can be tuned with the aid of pitch pipes or dedicated electronic guitar tuners which are available through your local music dealer. If you do not have a tuning device, you can use relative tuning. Estimate the pitch of the 6th string as near as possible to E or at least a comfortable pitch (not too high, as you might break other strings in tuning up). Then, while checking the various positions on the diagram, place a finger from your left hand on the:

5th fret of the E or 6th string and **tune the open A** (or 5th string) to the note **(A)**

5th fret of the A or 5th string and **tune the open D** (or 4th string) to the note **(D)**

5th fret of the D or 4th string and **tune the open G** (or 3rd string) to the note **(G)**

4th fret of the G or 3rd string and **tune the open B** (or 2nd string) to the note **(B)**

5th fret of the B or 2nd string and **tune the open E** (or 1st string) to the note **(E)**

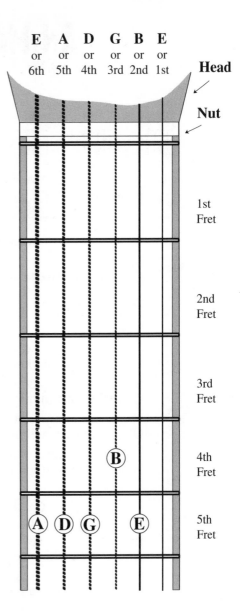

Reading Chord Boxes

Chord boxes are diagrams of the guitar neck viewed head upwards, face on as illustrated. The top horizontal line is the nut, unless a higher fret number is indicated, the others are the frets.

The vertical lines are the strings, starting from E (or 6th) on the left to E (or 1st) on the right.

The black dots indicate where to place your fingers.

Strings marked with an O are played open, not fretted.

Strings marked with an X should not be played.

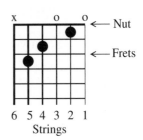

ANIMAL NITRATE

Words & Music by Brett Anderson & Bernard Butler

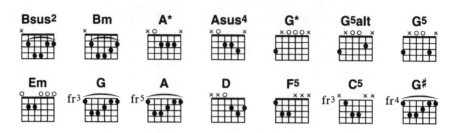

Tune guitar down one semitone

Intro　　│ **Bsus2 Bm Bsus2 A* Asus4 A*** │ **G* G5alt G5 Em** │

‖: **Bm** 　　　**A* Asus4 A*** │ **G** 　　**Em** :‖ *Play 3 times*

Verse 1
　　　　　Bm A 　　**G** 　　　　**Em**
Like his　dad you know that he's had
Bm 　　**A** 　　**G** 　**Em**
Animal nitrate in mind.
　　　　　　　Bm 　　**A** 　　**G** 　　　　**Em**
Oh, in your council home he jumped on your bones,
　　　　　　　Bm 　　**A** 　　**G**
Now you're taking it time after time.

Chorus 1
　　　　　A 　　　**D G D G**
Oh, it turns you on, ___ on, ___
Bm 　　　**A** 　　**G**
And now he has gone.
　　　　　　A 　　　**D G D G**
Oh, what turns you on, ___ on, ___
Bm 　　　**A** 　　**F5** 　**C5**
Now your animal's gone? ___

Verse 1
　　　　　Bm A 　　**G** 　　　　**Em**
Well he　said he'd show you his bed
　　　　　　　Bm 　　　**A** 　**G** 　**Em**
And the delights of the chemical smile, ___
　　　　　　　Bm 　**A** 　　**G** 　　　　**Em**
So in your broken home he broke all your bones,
　　　　　　　Bm 　　**A** 　　　**G**
Now you're taking it time after time.

Chorus 2

> A   D G D G
> Oh, it turns you on, ___ on, ___
>
> Bm   A   G
> And now he has gone.
>
> A   D G D G
> Oh, what turns you on, ___ on, ___
>
> Bm   A   F5   C5
> Now your animal's gone?___

Solo

> | Bm   G | G♯   G | Bm   G | G♯   G |
>
> | Bm   G | G♯   G | Bm   G | G♯   G ‖

Chorus 3

> A   D G D G
> What does it take to turn you on, ___ on, ___
>
> Bm   A   G
> Now he has gone?
>
> A   D   G D   G
> Now you're over twenty one? ___ Oh, ___
>
> Bm   A   G
> Now your animal's gone?

Outro

> (G) D   G   D   G
> ‖: Animal, he was animal, ___
>
> Bm   A   G
> An animal, ___ oh. :‖   *Repeat to fade with vocal ad lib.*

BEAUTIFUL ONES

Words & Music by Brett Anderson & Richard Oakes

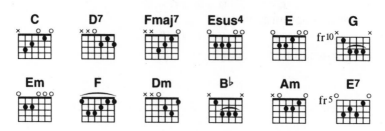

Tune guitar down one semitone

Intro ‖: C | D7 | Fmaj7 | Esus4 E :‖

Verse 1

    C   D7
Ooh, high on diesel and gasoline,

       Fmaj7
Psycho for drum machine,

       Esus4   E
Shaking their bits to the hits, oh.

C   D7
Drag acts, drug acts, suicides,

       Fmaj7
In your dad's suit you hide,

       Esus4 E
Staining his name again, oh.

Verse 2

C   D7
Cracked up, stacked up, twenty-two,

       Fmaj7
Psycho for sex and glue,

      Esus4 E
Lost it in Bostik, yeah.

      C   D7
Oh, shaved heads, rave heads, on the pill,

       Fmaj7
Got too much time to kill,

      E   G
Get into the bands and gangs, oh.

Chorus 1

C
Here they come,

    Em
The beautiful ones,

    F
The beautiful ones,

Dm B♭
La la la la.

C
Here they come,

    Em
The beautiful ones,

    F
The beautiful ones,

Dm B♭ Am E7
La la la la la, la la.

Verse 3

C   D7
Loved up, doved up, hung around,

          Fmaj7
Stoned in a lonely town,

           Esus4   E
Shaking their meat to the beat, oh.

C   D7
High on diesel and gasoline,

          Fmaj7
Psycho for drum machine,

           Esus4   E   G
Shaking their bits to the hits, oh.

Chorus 2

C
Here they come,

    Em
The beautiful ones,

    F
The beautiful ones,

Dm B♭
La la la la.

C
Here they come,

    Em
The beautiful ones,

    F   Dm
The beautiful ones, oh oh.

Bridge

B♭   C
You don't think about it,

                Em
You don't do without it,

                    F   Dm
Because you're beautiful, yeah, yeah.

B♭   C   Em
  And if your baby's going crazy,

                 F   Dm
That's how you made me, la la.

B♭   C   Em
  And if your baby's going crazy,

                 F   Dm
That's how you made me, woah woah,

B♭   C   Em
  And if your baby's going crazy,

                 F
That's how you made me,

Dm   B♭ Am E7
La la, la la, la. La, la.

Outro

‖: C   D7
  La la la la, la,

                Fmaj7
La la la la la, la.

                Esus4
La la la la la la,

       E
La la la, oh. :‖ *Repeat to fade*

HEY DUDE

Words & Music by Crispian Mills, Alonza Bevan, Paul Winter-Hart & Jay Darlington

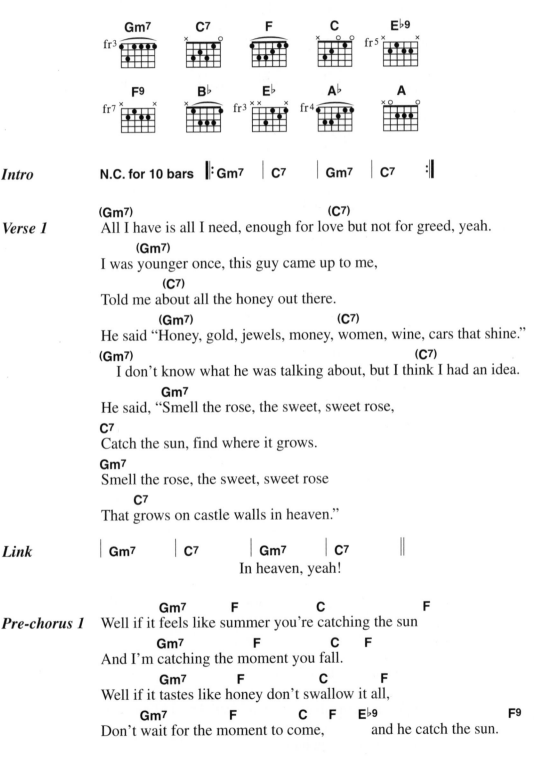

Intro N.C. for 10 bars ‖: Gm7 | C7 | Gm7 | C7 :‖

Verse 1

(Gm7)   (C7)
All I have is all I need, enough for love but not for greed, yeah.

    (Gm7)
I was younger once, this guy came up to me,

        (C7)
Told me about all the honey out there.

        (Gm7)   (C7)
He said "Honey, gold, jewels, money, women, wine, cars that shine."

(Gm7)   (C7)
    I don't know what he was talking about, but I think I had an idea.

        Gm7
He said, "Smell the rose, the sweet, sweet rose,

C7
Catch the sun, find where it grows.

Gm7
Smell the rose, the sweet, sweet rose

        C7
That grows on castle walls in heaven."

Link | Gm7 | C7 | Gm7 | C7 ‖
In heaven, yeah!

Pre-chorus 1

        Gm7   F   C   F
Well if it feels like summer you're catching the sun

        Gm7   F   C   F
And I'm catching the moment you fall.

        Gm7   F   C   F
Well if it tastes like honey don't swallow it all,

        Gm7   F   C   F   E♭9   F9
Don't wait for the moment to come,   and he catch the sun.

Chorus 1

   C   B♭   E♭   B♭
Hey dude, don't lean on me man
            F   B♭
'Cause I'm losing my direction
        F
And I can't understand, no, no.
   C   B♭   E♭   B♭
Hey dude, well I do what I can
           F   B♭   F   N.C.
But you treat me like a woman when I feel like a man.

Verse 2

   Gm7
I was crossing the city one day,
     C7
Everybody was flashing by me
    Gm7
Like images of tombstones,
   C7
Images of tombstones.
     Gm7
On a Friday night I've seen everybody looking
      C7   Gm7
For their little bit of honey to alleviate the pain,
     C7
To alleviate the pain.

Pre-chorus 2

      Gm7   F   C   F
Well if it feels like summer you're catching the sun
     Gm7   F   C F
Don't wait for the evening to fall.
     Gm7   F   C   F
Well if it tastes like honey don't swallow it all,
     Gm7   F   C   E♭9   F9
Don't wait for the moment to come,   catch the sun.

Chorus 2

   C   B♭   E♭   B♭
Hey dude, don't lean on me man
            F   B♭
'Cause I'm losing my direction
        F
And I can't understand, no, no.
   C   B♭   E♭   B♭
Hey dude, well I do what I can
           F   B♭   F
But you treat me like a woman when I feel like a man,
     A♭   B♭
And I can't understand.

Middle

   C   B♭
No-no, no-no, no-no, no-no, no-no,

      A
No-no, no-no, no-no, no.

A♭   C   B♭   A
   Well I can't understand,   when I feel like a man.

       A♭
Sing it to me honey.

Solo

$\lVert$: (Gm7) | (C7) | (Gm7) | (C7) :$\rVert$ *Play 3 times*

E♭9   F9
  Catch the sun.

Chorus 3

C   B♭   E♭   B♭
  Hey dude, don't lean on me man

         F   B♭
'Cause I'm losing my direction

     F
And I can't understand, no, no.

C   B♭   E♭   B♭
  Hey dude, well I do what I can,

      F   B♭   F
But you treat me like a woman when I feel like a man.

Chorus 4

C   B♭
  Hey dude, no-no, no-no,

E♭   B♭
  Hey dude, no-no, no-no,

F   B♭   F
  Wooo-ooh, yeah!

C   B♭   E♭   B♭
  Hey dude, well I do what I can,

      F   N.C.
But you treat me like a woman when I feel like a man.

Coda

| C   B♭ | E♭ B♭ F | C $\rVert$
  Oh yeah!

TATTVA

Words & Music by Crispian Mills, Alonza Bevan, Paul Winter-Hart & Jay Darlington

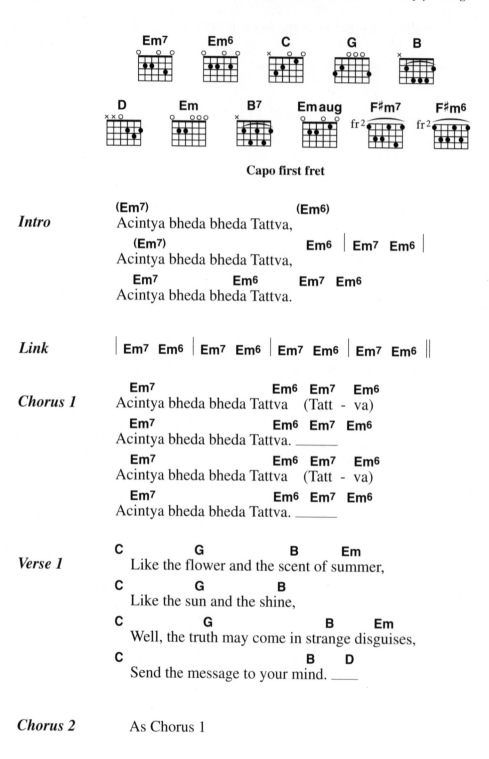

Capo first fret

Intro

  (Em7)   (Em6)
Acintya bheda bheda Tattva,

   (Em7)   Em6 | Em7 Em6 |
Acintya bheda bheda Tattva,

  Em7   Em6 Em7 Em6
Acintya bheda bheda Tattva.

Link

| Em7 Em6 | Em7 Em6 | Em7 Em6 | Em7 Em6 ||

Chorus 1

  Em7   Em6 Em7 Em6
Acintya bheda bheda Tattva (Tatt - va)

  Em7   Em6 Em7 Em6
Acintya bheda bheda Tattva. _____

  Em7   Em6 Em7 Em6
Acintya bheda bheda Tattva (Tatt - va)

  Em7   Em6 Em7 Em6
Acintya bheda bheda Tattva. _____

Verse 1

 C   G   B   Em
Like the flower and the scent of summer,

 C   G   B
Like the sun and the shine,

 C   G   B   Em
Well, the truth may come in strange disguises,

 C   B D
Send the message to your mind. ____

Chorus 2   As Chorus 1

Verse 2

```
C          G            B          Em
At the moment that you wake from sleeping,
C          G            B
And you know it's all a dream.
C          G            B          Em
Well, the truth may come in strange didguises,
C                       B      D
Never knowing what it means. ____
```

Chorus 3

```
Em7                    Em6  Em7   Em6
Acintya bheda bheda Tattva   (Tatt - va)
Em7                    Em6  Em7
Acintya bheda bheda Tattva. _____
```

Solo 1

‖: Em7 Em6 | Em7 Em6 | Em7 Em6 | Em7 Em6 :‖

Verse 3

```
C    G      B    Em
For you will be tomorrow,
C    G      B
Like you have been today.
C    G      B    Em
If this was never-ending
C                 B      B7
What more can you say? ____
```

Link

| Em7 | Em7 | Em7 | Em7 | |

| Em7 | Em6 | Em aug | Em6 | ‖

Chorus 4

```
Em7                    Em6  Em7   Em6
Acintya bheda bheda Tattva   (Tatt - va)
Em7                    Em6  Em7   Em6
Acintya bheda bheda Tattva. _____
```

Solo 2

‖: F♯m7 F♯m6 | F♯m7 F♯m6 | F♯m7 F♯m6 :‖

Coda

```
F♯m7              F♯m6       F♯m7
Acintya bheda bheda Tattva.
```

BABY CAN I HOLD YOU?

Words & Music by Tracy Chapman

C   G7sus4   G   Dm9   Fmaj7   Dm7   F   C/E

Intro | C | G7sus4 G | C | G7sus4 G ||

Verse 1

C   G7sus4 G   Dm9
Sorry is all that you can't say.

G7sus4   G   C
Years gone by and still

G7sus4   G   Dm9
Words don't come easily

    Fmaj7   G
Like sorry, like sorry.

Verse 2

    C   G7sus4 G   Dm9
Forgive me is all that you can't say.

G7sus4   G   C
Years gone by and still

G7sus4   G   Dm9
Words don't come easily

    Fmaj7   G
Like forgive me, forgive me.

Chorus 1

    C
But you can say "Baby,

Dm7   F   C
Baby can I hold you tonight?

Dm7   F   Am
Baby if I told you the right words,

    G
Ooh, at the right time

    C
You'd be mine."

Link | **Dm**   **C/E**   **F**   **G**   ‖

Verse 3

C   **G⁷sus⁴ G**   **Dm⁹**
"I love you" is all that you can't say

G⁷sus⁴   **G**   **C**
Years gone by and still

G⁷sus⁴   **G**   **Dm⁹**
Words don't come easily   -

          Fmaj⁷   **G**
Like "I love you, I love you."

Chorus 2   As Chorus 1

Chorus 3

Dm⁷   **F**   **C**
"Baby can I hold you tonight?

Dm⁷   **F**   **Am**
Baby, if I told you the right words,

               G
Ooh, at the right time

               C
You'd be mine".

C   **Dm⁷ F**
(Baby, if I told you, baby can I hold you?)

                                    C
Coda   you'd be mine

C   **Dm⁷ F**
(Baby, if I told you, baby can I hold you?)

                                    C
                          you'd be mine

C   **Dm⁷**
(Baby, if I told you)

F   **C**
Baby, can I hold you?

DREAMS

Music by Dolores O'Riordan & Noel Hogan • Words by Dolores O'Riordan

E Amaj7 B7 E/A A G Csus2

Intro | E | E | Amaj7 | Amaj7 | B7 | B7 | E | E |

| E | E | E/A | E/A | B7 | B7 | E | E ||

Verse 1
Amaj7
Oh, my life
B7
Is changing ev'ry day,
E
In ev'ry possible way.

Amaj7
And oh, my dreams,
B7
It's never quite as it seems,
E
Never quite as it seems.

Verse 2
E/A
I know I've felt like this before,
B7
But now I'm feeling it even more,
E
Because it came from you.

A
And then I open up and see
B7
The person falling here is me,
E
A diff'rent way to be.

Middle
G   Csus2
Ah, la, la, ah, la, da, ya,
G   Csus2 E
La, ya, ah, la.

Verse 3

```
(E)       Amaj7
I want more,
                B7
Impossible to ignore,
                E
Impossible to ignore.


                    Amaj7
And they'll come true,
                B7
Impossible not to do,
                E
Impossible not to do.
```

Verse 4

```
                        E/A
And now I tell you openly
                            B7
You have my heart, so don't hurt me,
                    E
You're what I couldn't find.


                    A
A totally amazing mind,
                    B7
So understanding and so kind,
                    E
You're everything to me.
```

Verse 5

```
            Amaj7
Oh, my life
            B7
Is changing ev'ry day,
                E
In ev'ry possible way.


            Amaj7
And oh, my dreams,
                B7
It's never quite as it seems,
                    E
'Cause you're a dream to me, dream to me.
```

Instrumental

| E | E | E/A | E/A | B7 | B7 | E | E | ‖

Outro

| E | E | Amaj7 | Amaj7 |

‖: Ah, _____ da, ah, ah, da, da, da, ah,

| B7 | B7 | E | E |

Da, _____ la, _____ ah, ah. _____ :‖ *Repeat to fade*

ENTER SANDMAN

Words & Music by James Hetfield, Lars Ulrich & Kirk Hammett

E5   A5   G5   F#5   F5   B5

Intro

‖: E5 A5 | E5 A5 | E5 A5 | E5 A5 :‖ *Play 3 times*

‖: E5 | E5 | E5 | E5 :‖ *Play 4 times*

‖: E5 A5 | E5 A5 | E5 A5 | G5 F#5 E5 :‖

Verse 1

E5   F5 E5
Say your prayers, little one,

E5   F5 E5   G5   F#5 G5 F#5 E5
Don't forget my son, to include ev'ry one.

E5   F5 E5
I tuck you in, warm within,

E5   F5 E5   G5   F#5 G5   F#5
Keep you free from sin 'til the sandman he comes,   ah.

Bridge 1

F#5 B5   F#5   B5
Sleep with one eye open,

F#5 B5   F#5   B5
Gripping your pillow tight.

Chorus 1

F#5 B5 F#5   B5 F#5 B5   E5
Ex - it light.   En - ter   night.

F#5 B5 E5   G5   F#5   G5 F#5   E5
Take   my hand. We're off to never-ne - ver land.

Instrumental

‖: (E5) A5 | E5 A5 | E5 A5 | E5 F#5 G5 E5 :‖

Verse 2

E5   F5 E5
Something's wrong, shut the light,

E5   F5 E5   G5   F#5 G5 F#5 E5
Heavy thoughts tonight, and they aren't of Snow White.

E5   F5 E5
Dreams of war dreams of liars,

(E5)   F5 E5   G5   F#5 G5 F#5
Dreams of dragons fire   and of things that will bite,   yeah.

Bridge 2   As Bridge 1

Chorus 2   As Chorus 1

Solo   Over Verse 1, Bridge 1 and Chorus 1 ad lib.

Middle

E5   A5   E5   A5
Now I lay me down to sleep, (now I lay me down to sleep,)

E5   A5   E5   A5
Pray the Lord my soul to keep, (pray the Lord my soul to keep,)

E5   A5   E5   A5
If I die before I wake, (if I die before I wake,)

E5   A5   E5   A5
Pray the Lord my soul to take, (pray the Lord my soul to take.)

F#5   B5 F#5   B5
Hush little baby, don't say a word

F#5   B5   F#5   B5
  And never mind that noise you heard,

F#5   B5   F#5   B5
  It's just the beasts under your bed,

F#5   B5   F#5   B5
  In your closet, in your head.

Chorus 3

F#5 B5 F#5   B5 F#5 B5   E5
Ex - it light.   En - ter night.

F#5   E5
Grain of sand.

F#5 B5 F#5   B5 F#5 B5   E5
Ex - it light.   En - ter night.

F#5   B5 E5   G5   F#5   G5 F#5 E5
Take my hand, we're off to never-ne-ver-land,   yeah.

Outro

| E5 A5 | E5 A5 | E5 A5 | E5 A5 |

| E5 A5 | E5 A5 | E5 A5 | E5 F#5 G5 E5 |

‖: E5 A5 | E5 A5 | E5 A5 | E5 A5 :‖   *Repeat to fade*

FADE TO BLACK

Words & Music by James Hetfield, Lars Ulrich, Cliff Burton & Kirk Hammett

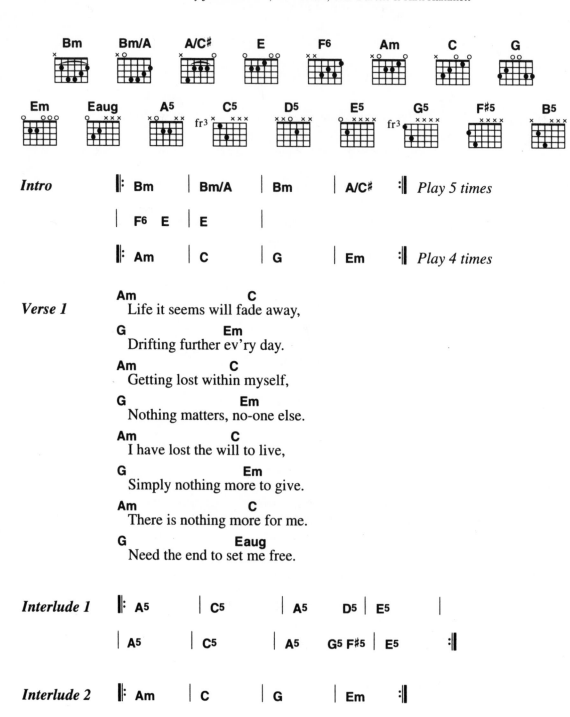

Intro   ‖: Bm | Bm/A | Bm | A/C♯ :‖ *Play 5 times*

| F6 E | E |

‖: Am | C | G | Em :‖ *Play 4 times*

Verse 1

Am   C
Life it seems will fade away,

G   Em
Drifting further ev'ry day.

Am   C
Getting lost within myself,

G   Em
Nothing matters, no-one else.

Am   C
I have lost the will to live,

G   Em
Simply nothing more to give.

Am   C
There is nothing more for me.

G   Eaug
Need the end to set me free.

Interlude 1   ‖: A5 | C5 | A5 D5 | E5 |

| A5 | C5 | A5 G5 F♯5 | E5 :‖

Interlude 2   ‖: Am | C | G | Em :‖

Verse 2

    Am   **C**
    Things not what they used to be,

    G   **Em**
    Missing one inside of me.

    Am   **C**
    Deathly lost, this can't be real,

    G   **Em**
    Cannot stand this hell I feel.

    Am   **C**
    Emptiness is filling me

    G   **Em**
    To the point of agony.

    Am   **C**
    Growing darkness taking dawn,

    G   **Eaug**
    I was me but now he's gone.

Interlude 3   As Interlude 1

Interlude 4   ‖: **D5 E5** | **D5 E5 G5 F♯5** | **D5** | **D5**   :‖

Bridge 1

    D5 E5   **D5 E5**   **G5 F♯5**   **D5**
    No one but me can save myself but it's too late.

    D5   **E5**   **D5**   **E5**   **G5**   **F♯5 D5**
    Now I can't think, think why I should even try.

Interlude 5   As Interlude 4

Bridge 2

    D5 E5   **D5**   **E5**   **G5 F♯5**   **D5**
    Yesterday seems as though it nev-er existed.

    D5   **E5**   **D5**   **E5** **G5 F♯5**   **D5**
    Death greets me warm, now I will just say goodbye.

Interlude 6   ‖: **E5** | **E5** **G5 F♯5** | **E5**   **D5** | **D5**   :‖

Outro solo   ‖: **B5** | **B5** | **A5** | **A5** |

                 | **G5** | **G5** | **A5** | **A5** :‖   *Repeat to fade*

FORGIVEN, NOT FORGOTTEN

Words & Music by Andrea Corr, Caroline Corr, Sharon Corr & Jim Corr

Intro

| Am C/E | D/F♯ | Am C/G | D/F♯ |

| Am C/E | D/F♯ | Am C/G | D |

‖: Am Cmaj7 | D/F♯ :‖

Verse 1

Am C/G D/F♯   Am/E   C/G D
All alone,   staring on, watching her life go by
         Am   C/G   D/F♯
When her days are grey and her   nights are black,
Am/E C/G   D
Different shades of mundane.
         Am   C/G
And the one-eyed furry toy
   D/F♯
That lies upon the bed
    Am/E C/G   D
Has often heard her cry
           Am   C/G   D/F♯
And heard her whisper of a name long forgiven
       Am/E C/G D
But not forgotten.

Chorus

         Am   C/G   D/F♯
You're forgiven,   not forgotten
        Am/E C/G   D/F♯
You're forgiven,   not forgotten
         Am   C/G   D/F♯
You're forgiven,   not forgotten
        Am/E C/G D
You're not forgotten

Verse 2

Am   C/G D   Am/E   C/G D
A bleeding heart   torn apart, left on an icy bed

      Am   C   D
In the room where they once lay   face to face

Am/E   C   D
Nothing could get in the way

        Am   C   D
But now the memories of a man are haunting her days

      Am/E C   D
And the craving never fades

        Am   C   D   Am/E C/G D
She's still dreaming of a man long forgiven, but not forgotten

Chorus 2   As Chorus 1

Link   ‖: Am C/G | D/F♯ :‖ *Play 3 times*

            | Am/E C/G | D   ‖

Am   C/G D/F♯   Am   C/G   D/F♯
Still alone,   staring on, wishing her life goodbye

          Am   C/G
As she goes searching for the man

        D/F♯   Am   C/G D/F♯
Long forgiven, but not forgotten

Chorus 3   Am C   D
          ‖: You're forgiven, not forgotten. :‖ *Play 8 times*

Coda   N.C
        You're not forgotten, you're not forgotten

        No you're not forgotten.

WHAT CAN I DO

Words & Music by Andrea Corr, Caroline Corr, Sharon Corr & Jim Corr

A   E/G♯   D   A/C♯   E   Bm⁷   F♯m   Dmaj⁷

Intro

    A   **E/G♯**
Do do do do   do do do do

D
Do do do   do do do,

A/C♯   **E**
Do do do do   do do do do

Bm⁷
Do do do   do do do.

Verse 1

    A   **E/G♯**   **D**
I haven't slept at all in days

A/C♯   **E**   **Bm⁷**
It's been so long since we've talked

A   **E/G♯**   **D**
And I have been here many ti____ mes

A/C♯   **E**   **Bm⁷**
I just don't know what I'm doing wrong.

Chorus 1

    A   **E/G♯**   **D**
What can I do to make you love me?

A/C♯   **E**   **Bm⁷**
What can I do to make you care?

A   **E/G♯**   **D**
What can I say to make you feel this?

A/C♯   **E**   **Bm⁷**
What can I do to get you there?

Verse 2

A   E/G♯   D
There's only so much I can take

A/C♯   E   Bm7
And I just got to let it go,

A   E/G♯   D
And who knows I might feel better, yea - - eah

A/C♯   E   Bm7
If I don't try and I don't hope.

Chorus 2   As Chorus 1

Bridge

F♯m   Dmaj7   E   Dmaj7   E
No more waiting, no more aching _____

F♯m   Dmaj7   E   Dmaj7   E
No more fighting, no more trying _____

Verse 3

A   D
Maybe there's nothing more to say

A   E   Bm7
And in a funny way I'm caught

A   E   D
Because the power is not mine

A   E   Bm7
I'm just gonna let it fly.

Chorus 3

> A   E   D
> What can I do to make you love me?
>
> A   E   Bm7
> What can I do to make you care?
>
> A   E   D
> What can I say to make you feel this?
>
> A   E   Bm7
> What can I do to get you there?

Chorus 4

> A   E   D
> What can I do to make you love me?
>
> A   E   Bm7
> What can I do to make you care?
>
> A   E   D
> What can I change to make you feel this?
>
> A   E   Bm7   Dmaj7 E F♯m E
> What can I do to get you there and lo - ove me?_____ (love me).

Coda

>   Dmaj7 E   F♯m E
> Lo - o - o - ve me,   love me. *Repeat to fade*

THAT'S ENTERTAINMENT

Words & Music by Paul Weller

G   Em⁷   Em   Am⁷   Fmaj⁷

Capo third fret

Intro

| G | Em⁷ Em | G | Em⁷ Em |

| Am⁷ | Fmaj⁷ | G | Em⁷ Em ‖

Verse 1

G   Em⁷   Em
A police car and a screaming siren,

G   Em⁷   Em
Pneumatic drill and ripped up concrete.

G   Em⁷   Em
A baby wailing, stray dog howling,

G   Em⁷   Em
A screech of brakes, a lamp light blinking.

Am⁷   Fmaj⁷
That's entertainment,

Am⁷   Fmaj⁷ | G | Em⁷ Em ‖
That's entertainment.

Verse 2

G   Em⁷   Em
A smash of glass and the rumble of _ boots,

G   Em⁷   Em
An electric train and a _ ripped up _ phone booth.

G   Em⁷   Em
Paint splattered walls and the cry of a tom cat,

G   Em⁷   Em
Lights going out and a _ kick in the balls, I say:

Am⁷   Fmaj⁷
That's entertainment,

Am   Fmaj⁷
That's entertainment.

G   Em⁷   Em
Ah, la la la la la,

G   Em⁷   Em
Ah, la la la la la.

Verse 3

G   **Em7**   **Em**
Days of speed and slow time Mondays,

G   **Em7**   **Em**
Pissing down with rain on a boring Wednesday.

G   **Em7**   **Em**
Watching the news and not eating your tea,

G   **Em7**   **Em**
A freezing cold flat and damp on the walls, I say:

Am7   **Fmaj7**
That's entertainment,

Am7   **Fmaj7** | **G** | **Em7 Em** |
That's entertainment.

G | **Em7**   **Em**
         La la la la la,

G | **Em7**   **Em**
         La la la la la.

Verse 4

G   **Em7**   **Em**
Waking up at six a.m. on a cool warm morning,

G   **Em7**   **Em**
Opening the windows and breathing in petrol.

G   **Em7**   **Em**
An amateur band rehearsing in a nearby yard,

G   **Em7**   **Em**
Watching the telly and thinking about your holidays.

Am7   **Fmaj7**
That's entertainment,

Am7   **Fmaj7**
That's entertainment.

G **Em7**   **Em**
Ah, la la la la la,

G **Em7**   **Em**
Ah, la la la la la,

G **Em7**   **Em**
Ah, la la la la la,

Am7 Fmaj7
Ah, la la la la la.

| **G** | **Em7 Em** ‖

Verse 5

G   Em⁷   Em

Waking up from bad dreams and smoking cigarettes.

G   Em⁷   Em

Cuddling a warm girl and smelling stale perfume.

G   Em⁷   Em

A hot summer's day and sticky black tarmac,

G   Em⁷   Em

Feeding ducks in the park and wishing you were far away.

Am⁷   Fmaj⁷

That's entertainment,

Am⁷   Fmaj⁷ | G | Em⁷ Em   ‖

That's entertainment.

Verse 6

G   Em⁷   Em

Two lovers kissing amongst the screams of midnight,

G   Em⁷   Em

Two lovers missing the tranquility of solitude.

G   Em⁷   Em

Getting a cab and travelling on buses,

G   Em⁷   Em

Reading the graffiti about slashed seat affairs, I say:

Am⁷   Fmaj⁷

That's entertainment,

Am⁷   Fmaj⁷

That's entertainment.

‖: G   Em⁷   Em

Ah, la la la la la,

G   Em⁷   Em

Ah, la la la la la,

G   Em⁷   Em

Ah, la la la la la,

Am⁷ Fmaj⁷   Em

Ah, la la la la la. :‖ *Repeat to fade*

THE BITTEREST PILL (I EVER HAD TO SWALLOW)

Words & Music by Paul Weller

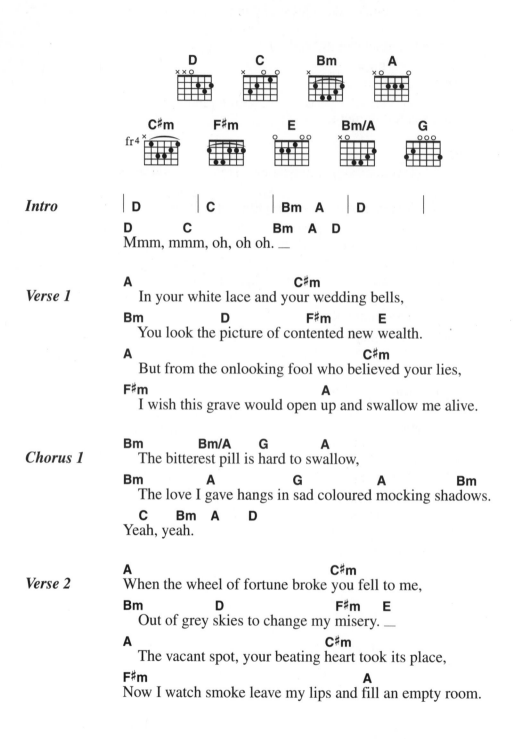

Intro | D | C | Bm A | D |

D   C   Bm A D
Mmm, mmm, oh, oh oh. __

Verse 1

A   C#m
   In your white lace and your wedding bells,
Bm   D   F#m   E
   You look the picture of contented new wealth.
A   C#m
   But from the onlooking fool who believed your lies,
F#m   A
   I wish this grave would open up and swallow me alive.

Chorus 1

Bm   Bm/A   G   A
   The bitterest pill is hard to swallow,
Bm   A   G   A   Bm
   The love I gave hangs in sad coloured mocking shadows.
   C   Bm A   D
Yeah, yeah.

Verse 2

A   C#m
When the wheel of fortune broke you fell to me,
Bm   D   F#m   E
   Out of grey skies to change my misery. __
A   C#m
   The vacant spot, your beating heart took its place,
F#m   A
Now I watch smoke leave my lips and fill an empty room.

Chorus 2

Bm   Bm/A   G   A
The bitterest pill is mine to swallow,

Bm   A   G   A
The love I gave hangs in sad coloured mocking shadows.

Middle

D   Bm   A
The bitterest pill is mine to take,

D
If I took it for a hundred years

C   Bm   D
I couldn't feel any more ill,

A
Ooh, ooh.

D   Bm   A
The bitterest pill is mine to take,

D
If I took it for a hundred years

C   Bm   D
I couldn't feel any more ill,

C   Bm   A
Yeah. _____

Solo

| D | D | C | Bm A | D | ‖

Verse 3

A   C♯m
Now autumn's breeze blows summer's leaves through my life,

Bm   D   F♯m   E
Twisted and broken dawn, no days with sunlight.

A   C♯m
That dying spark, you left your mark on me,

F♯m   (A)
The promise of your kiss but with someone else.

Chorus 3

Bm   Bm/A   G   A
The bitterest pill is mine to swallow,

Bm   A   G   A
The love I gave hangs in sad coloured mocking shadows.

Outro

    D   Bm   A
     The bitterest pill is mine to take,

    D
     If I took it for a hundred years

     C   Bm   D A
I couldn't feel any more ill.

    D   Bm   A
     The bitterest pill is mine to take,

    D
     If I took it for a hundred years

     C   Bm   A
I couldn't feel any more ill,

Yeah, ah, ah.

    D   Bm   A
     The bitterest pill is mine to take,

    D
     If I took it for a hundred years

     C   Bm   D
I couldn't feel any more ill,

A
Ooh, ooh.

    D   Bm   A
     The bitterest pill is mine to take,

    D
     If I took it for a hundred years

     C   Bm   A
I couldn't feel any more ill, ill,

Yeah, yeah.

‖: D | Bm | D | C   Bm :‖   *Repeat to fade*

THE ETON RIFLES

Words & Music by Paul Weller

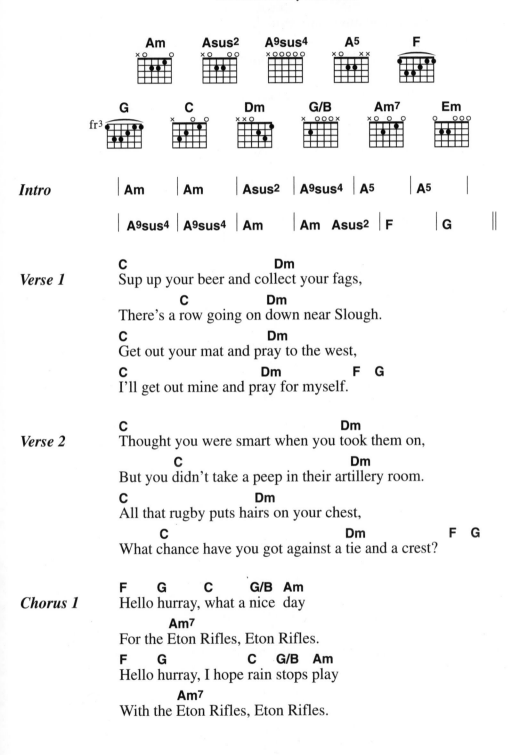

Intro

| Am | Am | Asus2 | A9sus4 | A5 | A5 | |

| A9sus4 | A9sus4 | Am | Am Asus2 | F | G | ||

Verse 1

    C   Dm
Sup up your beer and collect your fags,

           C   Dm
There's a row going on down near Slough.

C   Dm
Get out your mat and pray to the west,

C   Dm   F G
I'll get out mine and pray for myself.

Verse 2

C   Dm
Thought you were smart when you took them on,

          C   Dm
But you didn't take a peep in their artillery room.

C   Dm
All that rugby puts hairs on your chest,

        C   Dm   F G
What chance have you got against a tie and a crest?

Chorus 1

F   G   C   G/B Am
Hello hurray, what a nice day

         Am7
For the Eton Rifles, Eton Rifles.

F   G   C G/B Am
Hello hurray, I hope rain stops play

         Am7
With the Eton Rifles, Eton Rifles.

Verse 3

 C   Dm
Thought you were clever when you lit the fuse,

   C   Dm
Tore down the House of Commons in your brand new shoes.

   C   Dm
Compose a revolutionary symphony,

    C   Dm   F G
Then went to bed with a charming young thing.

Chorus 2

F G C G/B Am
Hello hurray, what a nice day

     Am7
For the Eton Rifles, Eton Rifles.

F G   C G/B Am
Hello hurray, I hope rain stops play

     Am7
With the Eton Rifles, Eton Rifles.

Middle 1

Em   F
 What a catalyst you turned out to be,

Em   F   G
 Loaded your guns then you ran off home for your tea,

Left me standing like a guilty schoolboy.

Solo

‖: C | Dm | C | Dm :‖

| Am | Am | Am7 | Am7 ‖

Middle 2   As Middle 1

Verse 4

 C   Dm
 We came out of it naturally the worst,

 C   Dm
Beaten and bloody I was sick down my shirt.

 C   Dm
We were no match for their un - tamed wit,

    C   Dm   F G
Though some of the lads said they'd be back next week.

Chorus 3

```
F    G                C    G/B  Am
Hello hurray, there's a price to    pay
        Am7
To the Eton Rifles, Eton Rifles.
F    G                C  G/B  Am
Hello hurray, I'd prefer the    plague
        Am7
To the Eton Rifles, Eton Rifles.
```

Chorus 4

```
F    G                C    G/B  Am
Hello hurray, there's a price to    pay
        Am7
To the Eton rifles, Eton Rifles.
F    G             C  G/B  Am
Hello hurray, I'd prefer the    plague
        Am7
To the Eton rifles, Eton Rifles.
```

Eton rifles, Eton Rifles.

Outro

| A5 | A5 | Asus2 | Asus2 |

| Am | Am | Asus2 | Asus2 |

| A5 | Asus2 | Asus2 | Asus2 | Am7 | Am7 |

```
                        Asus2
Eton Rifles, Eton Rifles.
```

LOVE SPREADS

Words & Music by John Squire

D7 Dm7 G D A F C

Intro

‖: D7 | D7 | D7 | D7 :‖

‖: Dm7 | Dm7 | Dm7 | Dm7 :‖

‖: G | G | D | D :‖

| A | A | D | D ‖

Verse 1

Dm7
Love spreads her arms, waits there for the nails;

"I forgive you, boy, I will prevail,"

Too much to take, some cross to bear,

I'm hiding in the trees with a picnic, she's over there, yeah.
    Dm7 G
Yeah, yeah, yeah,
    Dm7 | A | A | D | D ‖
Yeah, yeah, yeah.

Verse 2

Dm7
She didn't scream, she didn't make a sound.

"I forgive you boy, but don't leave town."

Cold black skin, naked in the rain,

Hammer flash in the lightning, they're hurting her again.
A | A | D |
Oh. ___

Chorus 1

        D
Let me put you in the picture,

        F
Let me show you what I mean:

         G
The Messiah is my sister

        D
Ain't no king, man, she's my queen.

        D
Let me put you in the picture,

        F
Let me show you what I mean:

     G
The Messiah is my sister

        D
Ain't no king, man, she's my queen.

      C   **A**
I had a dream, I've seen the light

       G   **F** ⋅
Don't put it out, 'cause she's alright, yeah, she's my sister.

Link | **D** | **D** | **D** | **D** ‖

Verse 3

Dm⁷
She didn't scream, she didn't make a sound.

"I forgive you boy, but don't leave town."

Cold black skin, naked in the rain,

Hammer flash in the lightning, they're hurting her again.
G   **Dm⁷** | **Dm⁷** | **G** |
Oh, __ oh, oh, oh.

            Dm⁷ | **Dm⁷**| **A** | **A** | **D** | **D** | **D** | **D** | **D** ‖
Yeah, yeah, yeah.

Chorus 2

          D
‖: Let me put you in the picture,

        F
Let me show you what I mean:

        G
The Messiah is my sister

        D
Ain't no king, man, she's my queen. :‖ *Play 8 times*

      C   **A**
I had a dream, I've seen the light

      G   **F**   **D**
Don't put it out, 'cause she's alright, yeah, she's my sister.

ONE WAY

Words & Music by Jonathan Sevink, Charles Heather, Simon Friend, Jeremy Cunningham & Mark Chadwick

Bm   D   E5   A   G   G*   F

Chorus 1

Bm D   E5   A   G   D   A
There's only one way of life, and that's your own, your own, your own.

Instr. 1   ‖: D | D | F | G*   :‖

Verse 1

D
My father, when I was younger, took me up onto the hill
      F   G*
That looked down on the city smog above the factory spill.
            D
He said, "Now this is where I come when I want to be free."
      F   G*
Well he never was in his lifetime, but these words stuck with me. Hey!

Instr. 2   ‖: D | D | F | G*   :‖

Verse 2

D
And so I ran from all of this, and climbed the highest hill,
      F   G*
And I looked down onto my life above the factory spill,
      D
And I looked down onto my life as the family disgrace,
      F   G*
Then all my friends on the starting line their wages off to chase,
      F   G*
Yes, and all my friends and all their jobs and all the bloody waste.

Chorus 2

Bm D   E5   A   G   D   A
There's only one way of life, and that's your own, your own, your own,
Bm D   E5   A   G   D   A
There's only one way of life, and that's your own, your own, your own.

Instr. 2   ‖: D | D | F | G*   :‖   *Play 6 times*

Verse 3

                D
Well, well, well I grew up, learned to love and laugh,

Circled as on the underpass,
         F
But the noise we thought would never stop,
G*
Died a death as the punks grew up.
        D
And we choked on our dreams, we wrestled with our fears,
      F
We're running through the heartless concrete streets,
G*
Chasing our ideas. Run!

Inst. 4   ‖: **D** | **D** | **F** | **G***   :‖

             D
Verse 4   And all the problems of this world won't be solved by this guitar
        F   **G***
And they won't stop coming either, by the life I've had so far.
        D
And the bright lights of my home town won't be getting any dimmer,
       F   **G***
Though their calling has receded like some old distant singer,
         F   **G***
And they don't look so appealing to the eyes of this poor sinner.

Chorus 3   As Chorus 2

Chorus 4   As Chorus 2

           Bm
That's your own.

SUNFLOWER

Words & Music by Paul Weller

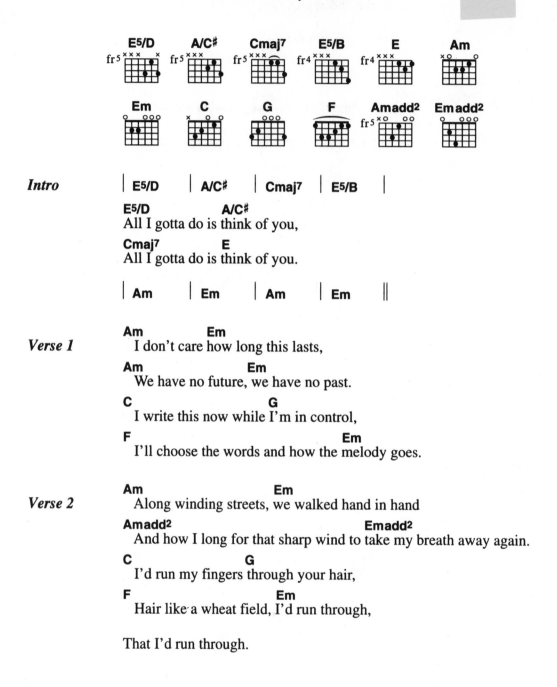

Intro | E5/D | A/C# | Cmaj7 | E5/B |

E5/D   A/C#
All I gotta do is think of you,

Cmaj7   E
All I gotta do is think of you.

| Am | Em | Am | Em   ‖

Verse 1

Am   Em
I don't care how long this lasts,

Am   Em
We have no future, we have no past.

C   G
I write this now while I'm in control,

F   Em
I'll choose the words and how the melody goes.

Verse 2

Am   Em
Along winding streets, we walked hand in hand

Amadd2   Emadd2
And how I long for that sharp wind to take my breath away again.

C   G
I'd run my fingers through your hair,

F   Em
Hair like a wheat field, I'd run through,

That I'd run through.

Chorus 1

          E5/D   **A/C#**   **Cmaj7**   **E5/B**
And I miss you so,   and I miss you so,

          E5/D   **A/C#**   **Cmaj7** **E**
Now you're gone I feel so alone, oh,   I miss you so.

| Am | Em | Am | Em | ‖

Verse 3

    Amadd2   **Emadd2**
  I'd send you a flower, a sunflower bright

    Amadd2   **Emadd2**
  'Cause you cloud my days, messing up my nights.

    C   **G**
  And all the way up to the top of your head

    F   **Em**
  Sun-shower kisses, I felt we had.

Chorus 2

          E5/D   **A/C#**   **Cmaj7**   **E5/B**
And I miss you so, oh baby I miss you so,

          E5/D   **A/C#**   **Cmaj7** **E**
Now you're gone I feel so alone,   oh, I miss you so, I do.

Instrumental ‖: E | E | E | E | E   :‖

Chorus 3   As Chorus 1

Outro | E5/D | A/C# | Cmaj7 | E5/B |

    E5/D   **A/C#**
All I gotta do is think of you,

    Cmaj7   **E5/B**
  Oh, and I miss you so.

    E5/D   **A/C#**
Baby, I'm afraid to say why,

    Cmaj7   **E**
  Oh, and I miss you so.

    | E5/D | A/C# | Cmaj7 | E5/B |

    E5/D   **A/C#**
Baby, I'm afraid to say why,

    Cmaj7   **E**
  Oh, and I miss you so.

Instrumental ‖: E | E | E | E   :‖

               | E | E | E   ‖

LAYLA

Words & Music by Eric Clapton & Jim Gordon

Dm   Bb   C   C#m7   G#m7   D   E   E7   F#m   B   A

Intro

| N.C. | N.C. | N.C. | N.C. |
Guitar riff

| Dm Bb | C Dm | Dm Bb | C Dm |

| Dm Bb | C Dm | Dm Bb | C ‖

Verse 1

C#m7   G#m7
What'll you do when you get lonely

C#m7   C   D   E   E7
And nobody's waiting by your side?

F#m   B   E   A
You been runnin' and hidin' much too long,

F#m   B   E
You know it's just your foolish pride.

Chorus 1

A   Dm   Bb
Layla, —

C   Dm
Got me on my knees,

       Bb
Layla,

     C   Dm
I'm beggin' darlin' please,

       Bb
Layla,

C   Dm   Bb   C
Darlin' won't you ease my worried mind?

Verse 2

C#m7   G#m7
Tried to give you consolation

C#m7   C   D   E   E7
When your old man let you down.

F#m   B   E   A
Like a fool, I fell in love with you,

F#m   B   E
You turned my whole world upside down.

Chorus 2

A   Dm   Bb
Layla, —

C   Dm
Got me on my knees,

        Bb
Layla,

      C   Dm
I'm beggin' darlin' please,

        Bb
Layla,

C   Dm   Bb   C
Darlin' won't you ease my worried mind?

Verse 3

C#m7   G#m7
Make the best of the situation

C#m7   C   D   E   E7
Before I finally go insane.

F#m   B   E   A
Please don't say we'll never find a way,

F#m   B   E
Don't tell me all my love's in vain.

Chorus 3

   A   Dm   Bb
‖: Layla, —

C   Dm
Got me on my knees,

        Bb
Layla,

      C   Dm
I'm beggin' darlin' please,

        Bb
Layla,

C   Dm   Bb   C
Darlin' won't you ease my worried mind?   :‖   *Repeat to fade*

SUNSHINE OF YOUR LOVE

Words & Music by Jack Bruce, Pete Brown & Eric Clapton

D	D7	F	G	G7	B♭	A	C

Intro

| N.C. | N.C. | N.C. | N.C. |

| D D7 D | D   F D | D D7 D | D   F D ‖

Verse 1

   D   D7 D   F D
It's getting near dawn

                   D7 D   F D
When lights close their tired eyes,

              D7 D   F D
I'll soon be with you, my love

            D7 D   F D
Give you my dawn surprise.

    G   G7 G   B♭ G
I'll be with you darlin' soon,

          G7 G   B♭ G
I'll be with you when the stars start falling.

Link

| D D7 D | D   F D | D D7 D | D   F D ‖

Chorus 1

A   C   G
  I've been waiting so long,

A   C   G
  To be where I'm going,

A   C   G   A
  In the sunshine of your love. _____

Link

| D D7 D | D   F D ‖

Verse 2

```
       D        D7 D      F D
I'm with you my love,
              D7  D              F D
The lights shining through on you.
                 D7  D      F D
Yes, I'm with you my love,
               D7  D             F D
It's the morning and just we two.
     G       G7  G             B♭ G
I'll stay with you darling now,
           G7  G              B♭    G
I'll stay with you 'til my seeds are dried up.
```

Link   ‖ D D7 D │ D   F D │ D D7 D │ D   F D ‖

Chorus 2   As Chorus 1

Solo   ‖ D D7 D │ D   F D │ D D7 D │ D   F D │ D D7 D │ D   F D │

‖ D D7 D │ D   F D │ G G7 G │ G   B♭ G │ G G7 G │ G   B♭ G │

‖ D D7 D │ D   F D │ D D7 D │ D   F D │ A   │ C   G   │

‖ A   │ C   G   │ A   │ C   G   │ A   │ A   ‖

Link   ‖ D D7 D │ D   F D │ D D7 D │ D   F D ‖

Verse 3   As Verse 2

Link   ‖ D D7 D │ D   F D │ D D7 D │ D   F D ‖

Chorus 3

```
A           C      G
  I've been waiting so long,
A           C      G
  I've been waiting so long,
A           C      G
  I've been waiting so long,
A      C          G
  To be where I'm going,
A      C      G      A
  In the sunshine of your love. _____   Fade out
```

TEARS IN HEAVEN

Words & Music by Eric Clapton & Will Jennings

A E/G# F#m7 F#m7/E D/F# E7sus4

E7 A/E E F#m C#/E# A7/E F#7

Bm7 Bm7/E C G/B Am G Em

Intro | A E/G# | F#m7 F#m7/E | D/F# E7sus4 E7 | A ‖

Verse 1

A E/G# F#m7 F#m7/E
Would I know your name

D/F# A/E E
If I saw you in heaven?

A E/G# F#m7 F#m7/E
Would it be the same

D/F# A/E E
If I saw you in heaven?

Chorus 1

F#m C#/E#
I must be strong

A7/E F#7
 And carry on,

  Bm7 Bm7/E
'Cause I know I don't belong

  A
Here in heaven.

Link | A E/G# | F#m7 F#m7/E | D/F# E7sus4 E7 | A ‖

Verse 2

| A | E/G♯ | F♯m7 | F♯m7/E |

Would you hold my hand

| D/F♯ | A/E | | E |

If I   saw you in heaven?

| A | E/G♯ | F♯m7 | F♯m7/E |

Would you help me stand

| D/F♯ | A/E | | E |

If I   saw you in heaven?

Chorus 2

| F♯m | C♯/E♯ |

I'll find my way

| A7/E | | F♯7 |

Through night and day

| | Bm7 | | Bm7/E |

'Cause I know I just can't stay

| | A |

Here in heaven.

Link

‖ A   E/G♯ | F♯m7   F♯m7/E | D/F♯   E7sus4   E7 | A   ‖

Bridge

| C | G/B | Am |

Time can bring you down,

| | D/F♯ | G   D/F♯   Em   D/F♯   G |

Time can bend your knees.

| C | G/B | Am |

Time can break your heart,

| | D/F♯ | G   D/F♯ |

Have you beggin' please,

| | E |

Beggin' please.

Solo

‖: A   E/G♯ | F♯m7   F♯m7/E | D/F♯   A/E | E   E7 :‖

Chorus 3

| F♯m | C♯/E♯ |

Beyond the door

| A7/E | | F♯7 |

There's peace I'm sure

| | Bm7 | | Bm7/E |

And I know there'll be no more

| | A |

Tears in heaven.

Verse 3

    A   E/G♯   F♯m7 F♯m7/E
Would you know my name

D/F♯ A/E   E
If I   saw you in heaven?

    A   E/G♯ F♯m7 F♯m7/E
Would you be the same

D/F♯ A/E   E
If I   saw you in heaven?

Chorus 4

F♯m   C♯/E♯
I must be strong

A7/E   F♯7
And carry on,

           Bm7   Bm7/E
'Cause I know I don't belong

         A
Here in heaven.

Link

  | A   E/G♯ | F♯m7 F♯m7/E ‖

           Bm7   Bm7/E
'Cause I know I don't belong

         A
Here in heaven.

Coda

  | A   E/G♯ | F♯m7 F♯m7/E | A/E   E7sus4 E7 | A   ‖

THE BEST GUITAR CHORD
SONGBOOK EVER!

CONTENTS

WHAT A BEAUTIFUL DAY

Words & Music by Jonathan Sevink, Charles Heather, Simon Friend, Jeremy Cunningham & Mark Chadwick

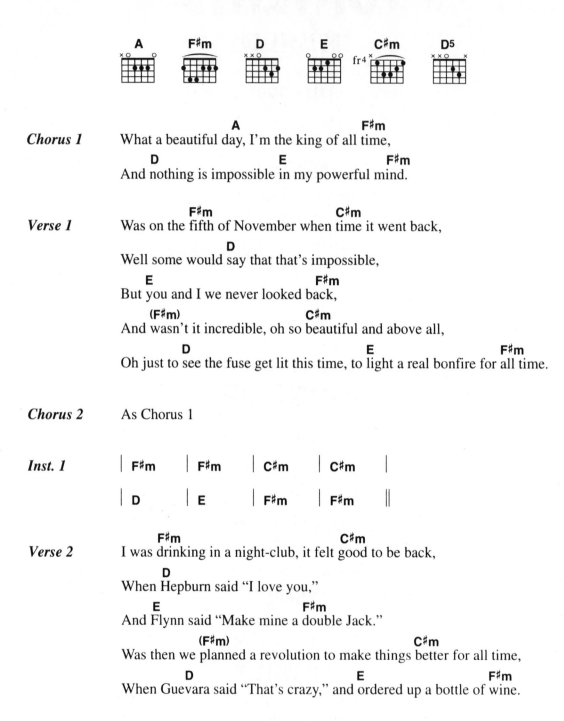

Chorus 1

         A   **F♯m**
What a beautiful day, I'm the king of all time,

  D   **E**   **F♯m**
And nothing is impossible in my powerful mind.

Verse 1

      F♯m   **C♯m**
Was on the fifth of November when time it went back,

        D
Well some would say that that's impossible,

  E   **F♯m**
But you and I we never looked back,

  (F♯m)   **C♯m**
And wasn't it incredible, oh so beautiful and above all,

     D   **E**   **F♯m**
Oh just to see the fuse get lit this time, to light a real bonfire for all time.

Chorus 2   As Chorus 1

Inst. 1

| F♯m | F♯m | C♯m | C♯m | |
| D | E | F♯m | F♯m | ‖ |

Verse 2

     F♯m   **C♯m**
I was drinking in a night-club, it felt good to be back,

  D
When Hepburn said "I love you,"

  E   **F♯m**
And Flynn said "Make mine a double Jack."

    (F♯m)   **C♯m**
Was then we planned a revolution to make things better for all time,

    D   **E**   **F♯m**
When Guevara said "That's crazy," and ordered up a bottle of wine.

| *Chorus 3* | As Chorus 1 |

| *Chorus 4* | As Chorus 1 |

Verse 3

F#m   C#m
In there on the big screen, every night I've seen
     D   E   F#m
The way all things could be ____
        C#m   D   E   F#m | D5   ‖
Oh for me, ____ oh for me, ____ for me, ____ for me.

Inst. 2

| A | A | F#m | F#m |

| D | E | F#m | F#m   ‖

Verse 4

     F#m
The news broke after midnight,
        C#m
And we pulled the temples down without a sound,
        D
But the generals were hiding out,
     E   F#m
The ministers, well… they'd all gone to ground.
(F#m)   C#m
Wealth redistribution became the new solution,
        D   E   F#m
So I got a paper bag, and you got the one with all the holes.

| *Chorus 5* | As Chorus 1 |

| *Chorus 6* | As Chorus 1 |

Outro

(F#m)   D   E   F#m
Oh yeah and nothing is impossible in my all powerful mind,
               D   E   F#m
That's because nothing is impossible in my powerful mind.

RUNAWAY

Words & Music by Andrea Corr, Caroline Corr, Sharon Corr & Jim Corr

F   Gm   B♭   Dm   C7   F/A   C   Fsus4   G

Intro   6/8 F | F | F | F ‖

Verse 1
F   Gm B♭
Say it's true,
                    F   Gm B♭
There's nothing like me and you.
F   Gm B♭
I'm not alone,
            F   Gm B♭
Tell me you feel it too.

Pre-chorus 1
                    Dm   B♭
And I would run away____
    Gm   C7
I would run away,____ yeah, yeah.
            Dm   B♭
I would runaway____
            Gm   C7 B♭
I would runaway with you.

Chorus 1
            F Gm B♭
'Cause I _____ have fallen in
F   Gm B♭   F
Love _____ with you
        Gm   B♭
No, never -
                    F/A Gm   B♭ C F Fsus4 F Fsus4
I'm never gonna stop falling in love with you.

Verse 2

    F   **Gm** **B♭**
Close the door,

           F   **Gm** **B♭**
Lay down upon the floor___

      F   **Gm** **B♭**
And by candlelight,

           F   **Gm** **B♭**
Make love to me through the night.

               Dm   **B♭**
Pre-chorus 2 'Cause I have run away___

      Gm   **C7**
I have runaway, yeah, yeah.

      Dm   **B♭**
I have runaway, runaway___

      Gm   **C7** **B♭**
I have runaway with you.

Chorus 2   As Chorus 1

Link | **F** | **Gm** | **B♭** |

C   **F**   **Gm** **B♭** **C**
With you ___

            Dm   **B♭**
And I would runaway___

      Gm   **C7**
I would runaway, yeah, yeah

      Dm   **Gm**
I would runaway___

              C7 **B♭**
I would runaway with you.

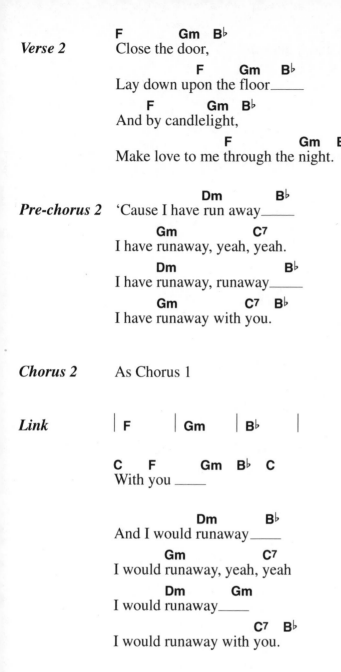

    F **Gm** **B♭**
Cause I _____ have fallen in

F **Gm** **B♭**   **F**
Love_____ with you

   Gm **B♭**
No, never -

        F/A **Gm**   **B♭**
I'm never gonna stop falling in love

C **F** **Gm** **B♭**
With you ____

     F **Gm** **B♭**   **F**
Falling in love _____ with you

   Gm **B♭**
No, never -

        F/A **Gm**   **B♭**
I'm never gonna stop falling in love

C   **F** **G** **B♭**
With (you).

     C **Dm** **G** **B♭**
Coda   With you ____

     C **F** **G** **B♭** **C** **Dm** **G** **B♭**
With you ____

     C **F** **G** **B♭** **C** **Dm** **G** **B♭**
With you ____

     C **F**
With you. *to fade*

SO YOUNG

Words & Music by Andrea Corr, Caroline Corr, Sharon Corr & Jim Corr

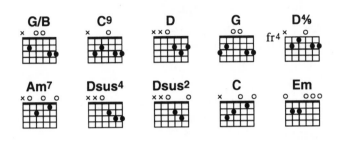

Intro

    G/B   **C9**   **D**
Yeah, yeah, yeah, yeah, yeah.

    G   **C9**   **D**
Yeah, yeah, yeah, yeah, yeah.

Verse 1

            G
We are taking it easy.

 C9   **D⅝**
Bright and breezy, yeah.

           G
We are living it up

   C9   **D⅝**
Just fine and dandy, yeah.

Pre-chorus 1

      Am7   **C**   **D⅝**
And it really doesn't matter that we don't eat,

      Am7   **C**   **D⅝**
And it really doesn't matter if we never sleep,

       Am7
No, it really doesn't matter.

 C   **Dsus4** **D** **Dsus2** **D**
Really doesn't matter at all._____

Chorus 1

        G
'Cos we are so young now,

   C9   **D**
We are so young, so young now.

        G
And when tomorrow comes

 C9   **D**
We can do it all again.

Verse 2

       G
We are chasing the moon,

   C   **D%**
Just running wild and free.

     G
We are following through

   C9   **D%**
Every dream and every need.

Pre-chorus 2

     Am7   **C**   **D%**
And it really doesn't matter that we don't eat,

     Am7   **C**   **D%**
And it really doesn't matter if we never sleep,

    Am7
No, it really doesn't matter.

C   **Dsus4** **D** **Dsus2** **D**
Really doesn't matter at all._____

Chorus 2

        G
'Cos we are so young now,

   C9   **D**
We are so young, so young now.

        G
And when tomorrow comes

 C9   **D**
We can do it all again.

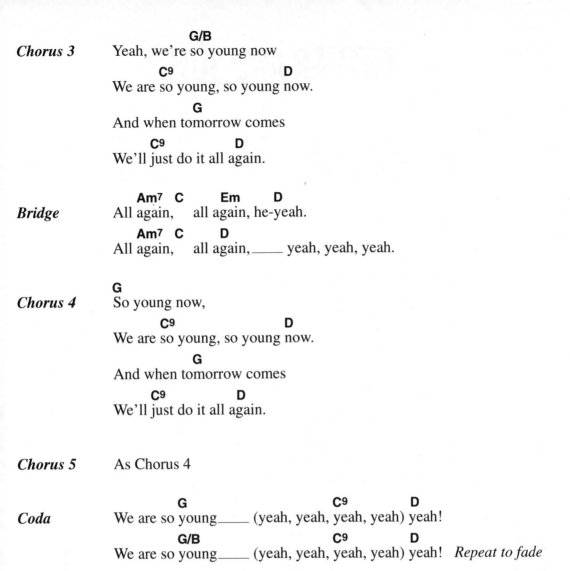

Chorus 3

          G/B
Yeah, we're so young now

    C9   **D**
We are so young, so young now.

         G
And when tomorrow comes

    C9   **D**
We'll just do it all again.

Bridge

     Am7 **C**   **Em**   **D**
All again,   all again, he-yeah.

     Am7 **C**   **D**
All again,   all again,_____ yeah, yeah, yeah.

Chorus 4

G
So young now,

    C9   **D**
We are so young, so young now.

         G
And when tomorrow comes

    C9   **D**
We'll just do it all again.

Chorus 5   As Chorus 4

Coda

       G   **C9**   **D**
We are so young_____ (yeah, yeah, yeah, yeah) yeah!

       G/B   **C9**   **D**
We are so young_____ (yeah, yeah, yeah, yeah) yeah! *Repeat to fade*

FATHER AND SON

Words & Music by Cat Stevens

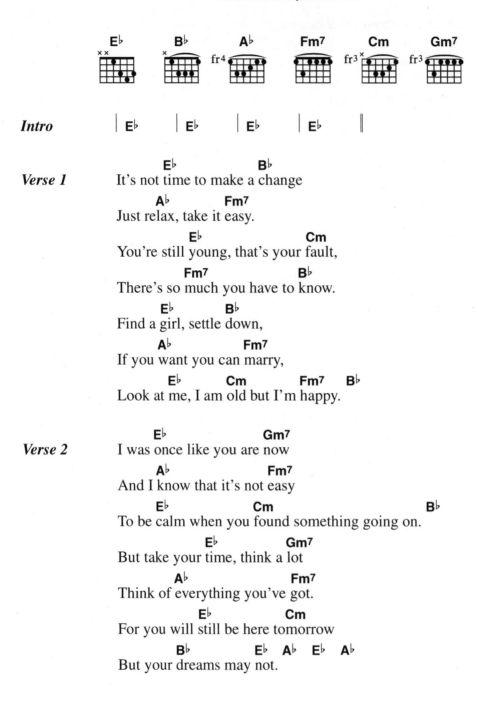

Intro | Eb | Eb | Eb | Eb ||

Verse 1

Eb   Bb
It's not time to make a change

Ab   Fm7
Just relax, take it easy.

          Eb   Cm
You're still young, that's your fault,

          Fm7   Bb
There's so much you have to know.

          Eb   Bb
Find a girl, settle down,

          Ab   Fm7
If you want you can marry,

          Eb   Cm   Fm7   Bb
Look at me, I am old but I'm happy.

Verse 2

          Eb   Gm7
I was once like you are now

          Ab   Fm7
And I know that it's not easy

          Eb   Cm   Bb
To be calm when you found something going on.

          Eb   Gm7
But take your time, think a lot

          Ab   Fm7
Think of everything you've got.

          Eb   Cm
For you will still be here tomorrow

          Bb   Eb Ab Eb Ab
But your dreams may not.

Verse 3

        E♭   Gm7
How can I try to explain?

       A♭   Fm7
When I do he turns away again;

       E♭   Cm   Fm7 B♭
Well, it's always been the same, same old story.

       E♭   Gm7
From the moment I could talk

      A♭   Fm7
I was ordered to listen,

         E♭   Cm
Now there's a way and I know

      B♭   E♭
That I have to go away.

    B♭   A♭   E♭ A♭ E♭ A♭
I know I have to go.

Verse 4

       E♭   B♭
It's not time to make a change

      A♭   Fm7
Just sit down and take it slowly

       E♭   Cm
You're still young, that's your fault

      Fm7   B♭
There's so much you have to go through.

       E♭   Gm7
Find a girl, settle down

      A♭   Fm7
If you want you can marry

       E♭   Cm   Fm7   B♭
Look at me, I am old but I'm happy.

Verse 5

     E♭   **Gm7**
All the times that I've cried
     A♭   **Fm7**
Keeping all the things I know inside;
       E♭   **Cm7**   **Fm7** **B♭**
And it's hard, but it's harder to ignore it.
        E♭   **Gm7**
If they were right I'd agree
      A♭   **Fm7**
But it's them they know not me;
         E♭   **Cm**
Now there's a way, and I know
     B♭   **E♭**
That I have to go away.
   B♭   **A♭**   **E♭**
I know I have to go.

GOING UNDERGROUND

Words & Music by Paul Weller

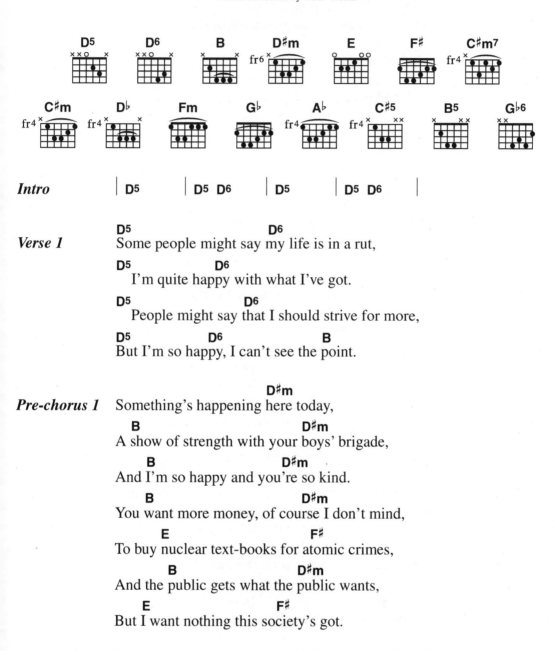

Intro | D5 | D5 D6 | D5 | D5 D6 |

Verse 1

D5   D6
Some people might say my life is in a rut,

D5   D6
 I'm quite happy with what I've got.

D5   D6
 People might say that I should strive for more,

D5   D6   B
But I'm so happy, I can't see the point.

Pre-chorus 1

             D#m
Something's happening here today,

 B   D#m
A show of strength with your boys' brigade,

 B   D#m
And I'm so happy and you're so kind.

 B   D#m
You want more money, of course I don't mind,

   E   F#
To buy nuclear text-books for atomic crimes,

    B   D#m
And the public gets what the public wants,

   E   F#
But I want nothing this society's got.

Chorus 1

        B   **D♯m**
I'm going underground, (going underground,)
      E   **F♯**
Well let the brass band play and feet start to pound.
      B   **D♯m**
Going underground, (going underground,)
        E
Well let the boys all sing
    F♯   **B**
And let the boys all shout for tomorrow.

| **D♯m**   **E** | **E** | **F♯** | ‖

Verse 2

D5   **D6**
Some people might get some pleasure out of hate,
D5   **D6**
Me, I've enough already on my plate.
D5   **D6**
   People might need some tension to relax,
D5   **D6**   **B**
Me, I'm too busy dodging between the flak.

Pre-chorus 2

B   **D♯m**
What you see is what you get,
    B   **D♯m**
You made your bed, you better lie in it.
    B   **D♯m**
You choose your leaders and place your trust,
     B   **D♯m**
Their lies wash you down and their promises rust.
       E   **F♯**
You'll see kidney machines replaced by rockets and guns,
     B   **D♯m**
And the public wants what the public gets,
    E   **F♯**
But I don't care what this society wants.

Chorus 2

        B   **D♯m**
I'm going underground, (going underground,)
      E   **F♯**
Well let the brass band play and feet start to pound.
      B   **D♯m**
Going underground, (going underground,)
        E
Well let the boys all sing
    F♯   **C♯m7**
And let the boys all shout for tomorrow.

Middle

           B   **C#m7**   **B**
(Ho!) La, la la la, ho! La, __ la la la.

      C#m   **B**
We talk and we talk until my head explodes,

     C#m   **B**
I turn on the news and my body froze.

          D#m   **E**
There's braying sheep on my TV screen

        F#
Make this boy shout, make this boy scream.

       D♭   **Fm** | **G♭** |
Going underground,

A♭   **D♭**   **Fm** | **G♭** |
  Going underground. _____

A♭   **(B)**   **(D#m)** | **(E)** |
  I'm going underground,

(F#)   **(B)**   **(D#m)** | **(E)** | **(F#)** | **(C#5)** |
  I'm going underground. _____

      B5   **C#5**
‖: La, __ la la la,   :‖ *Play 3 times*

    B5
La, __ la la la.

     D#m   **E**
The braying sheep on my TV screen

       F#
Make this boy shout, make this boy scream.

Chorus 3

       D♭   **Fm**
Going underground, (going underground,)

         G♭   **A♭**
Well let the brass band play and feet start to pound.

       D♭   **Fm**
Going underground, (going underground,)

         G♭
Well let the boys all sing

         A♭
And let the boys all shout.

Chorus 4

       D♭   **Fm**
Going underground, (going underground,)

         G♭   **A♭**
Well let the brass band play and feet go pow, pow, pow.

       D♭   **Fm**
Going underground, (going underground,)

         G♭
So let the boys all sing

         A♭   **G♭6**
And let the boys all shout for tomorrow, oh.

START

Words & Music by Paul Weller

G7   C7   Bm   C   D

E7   Am   D7   Asus4   A

Intro | (G7) | (G7) | (C7) | (C7) ||

Verse 1

Bm   C   Bm
  It's not important for you to want to know my name,

        D   Bm
Nor do I know yours. ___

              C   Bm
If we communicate   for two minutes on-ly

        E7
It will be enough.

     Am   D
But knowing someone in this world

Am
Feels as desperate as me,

D   G7 | G7 | D7 | D7 ||
  And what you give is what you get.

Verse 2

Bm   C   Bm
  It doesn't matter if we never meet again,

            D   Bm
What we have said will always remain. ___

           C   Bm
If we get through for   two minutes on-ly

      E7
It will be a start.

     Am   D
But knowing someone in this life

Am   D
Loves with a passion called hate,

               G7 | G7 | D7 | D7 ||
And what you give is what you get.

Middle 1

   Bm   **C**
    If I never ever see you,

              Bm
(If I never ever see you.)

        C
If I never ever see you,

             Bm
(If I never ever see you.)

           C   **Asus4** **A**
If I never ever see you again. ____

Solo | G^7 | G^7 | G^7 | G^7 | D^7 | D^7 ‖

Middle 2

   Bm   **C**
    If I never ever see you,

              Bm
(If I never ever see you.)

        C
If I never ever see you,

             Bm
(If I never ever see you.)

           C   **Asus4** **A**
If I never ever see you again. ____

    | G^7 | G^7 | D^7 | D^7 ‖

Outro

                             G7 **D7**
And what you give is what you get.

                             G7 **D7**
And what you give is what you get.

                        G7
And what you give is what you get.

TOWN CALLED MALICE

Words & Music by Paul Weller

D | **Dsus4** | **G/D** | **F#m** | **Em**
G | **A** | **C#m** | **Cm** | **Bm**

Intro | D | D Dsus4 D | D | D Dsus4 D |

| D | D G/D D | D | D G/D D ||

Verse 1

       F#m
Better stop dreaming of the quiet life

         Em
'Cos it's the one we'll never know,

F#m
   Quit running for that runaway bus

        Em
'Cos those rosy days are few, well.

G   **F#m**
   Stop apologising for things you never done.

   A
Time is short, life is cruel,

But it's up to us to change,

          D
A town called Malice.

| D Dsus4 D | D | D Dsus4 D |

| D | D G/D D | D | D G/D D ||

Verse 2

F#m
Rows and rows of disused milk floats

    Em
Stand dying in the dairy yard.

    F#m
And a hundred lonely housewives

    Em
Clutch empty milk bottles to their hearts.

G
  Hanging out their old love letters

F#m
On the line to dry.

   A
It's enough to make you stop believing

But tears come fast and furious,

        D
In a town called Malice.

| D | Dsus⁴ | D | D | | D | Dsus⁴ | D | |
| D | | D | G/D | D | D | | D | G/D | D | |

Verse 3

F#m
Ba ba ba ba ba da ba,

Em
Ba ba ba da ba, woah!

F#m
  Ba ba ba ba ba da ba,

Em
Ba ba ba da ba.

G
  Struggle after struggle,

F#m
  Year after year.

   A
The atmosphere's a fine blend of ice,

I'm almost stone cold dead,

         D   Dsus⁴ D
A town called Malice,   oo, ___ oo, yeah.

| D | Dsus⁴ | D | D | |
| D | G/D | D | D | | D | G/D | D | |

Middle

C#m
A whole street's belief

Cm Bm
In   Sunday's roast beef

Cm C#m   Cm Bm
Gets dashed against the   Co-op.

            A
To either cut down on beer

Or the kids new gear,

                                        D
It's a big decision in a town called Malice.

Dsus4   D | D   Dsus4   D |
     Oo, __ oo, yeah.

||: (D) | (D) | (D)   :||
    Finger clicks

Ooh, __ oo.

Verse 4

F#m
    The ghost of a steam train

Em
Echoes down my track.

F#m
    It's at the moment bound for nowhere,

Em
Just going round and round.

G
    Playground kids and creaking swings,

F#m
    Lost laughter in the breeze.

A
I could go on for hours

And I probably will,

But I'd sooner put some joy back

                        D   Dsus4 D   Dsus4 D
In this town called Malice,   yeah.

      Dsus4   D   Dsus4   D
||: Ooh, _____   :|| *Repeat to fade*

72

HERO OF THE DAY

Words & Music by James Hetfield, Lars Ulrich & Kirk Hammett

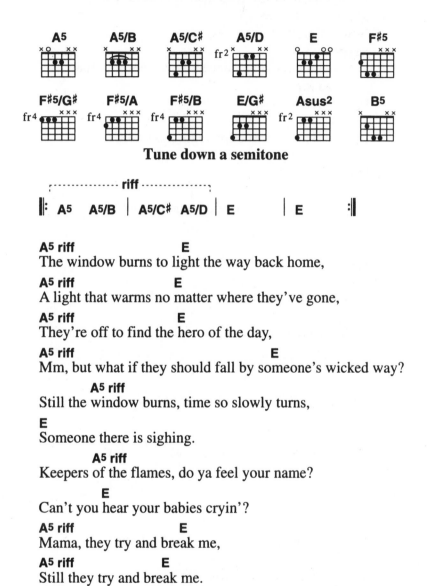

Tune down a semitone

Intro

‖: A5   A5/B | A5/C♯ A5/D | E | E   :‖

riff

Verse 1

A5 riff   E
The window burns to light the way back home,

A5 riff   E
A light that warms no matter where they've gone,

A5 riff   E
They're off to find the hero of the day,

A5 riff   E
Mm, but what if they should fall by someone's wicked way?

            A5 riff
Still the window burns, time so slowly turns,

E
Someone there is sighing.

            A5 riff
Keepers of the flames, do ya feel your name?

            E
Can't you hear your babies cryin'?

A5 riff   E
Mama, they try and break me,

A5 riff   E
Still they try and break me.

Verse 2

A5 riff   **E**
Excuse me while I tend to how I feel,

A5 riff   **E**
These things return to me that still seem real.

A5 riff   **E**
Now, deservingly, this easy chair,

A5 riff   **E**
Mm, but the rocking stopped by wheels of despair.

      A5 riff
Don't want your aid,

                        E
But the fist I've made for years can't hold off fear.

      A5 riff
No, I'm not all me,

                    E   **F♯5**
So please excuse me while I tend to how I feel.

Chorus 1

      (F♯5)
But now the dreams and waking screams

That ever last the night.

So build the wall behind it,

Crawl and hide until it's light.

So can you hear your babies cryin' now?

Solo

‖: A5   A5/B | A5/C♯ A5/D | E | E   :‖

Verse 3

          A5 riff
Still the window burns, time so slowly turns

      E
And someone there is sighing.

          A5 riff
Keepers of the flames, can't you hear your names?

          E
Can't you hear your babies cryin'?

F♯5

But now the dreams and waking screams

That ever last the night.

So build the wall behind it,

Crawl and hide until it's light.

So can you hear your babies cryin' now?

Outro

F♯5   **F♯5/G♯**
‖:   Mama, they try and break me,

F♯5/A♯   **F♯/B**
Mama, they try and break me,

F♯5   **E/G♯**
Mama, they try and break me,

Asus2   **B5**   **F♯5**
Mama, they try, Mama they try.   :‖

NOTHING ELSE MATTERS

Words & Music by James Hetfield & Lars Ulrich

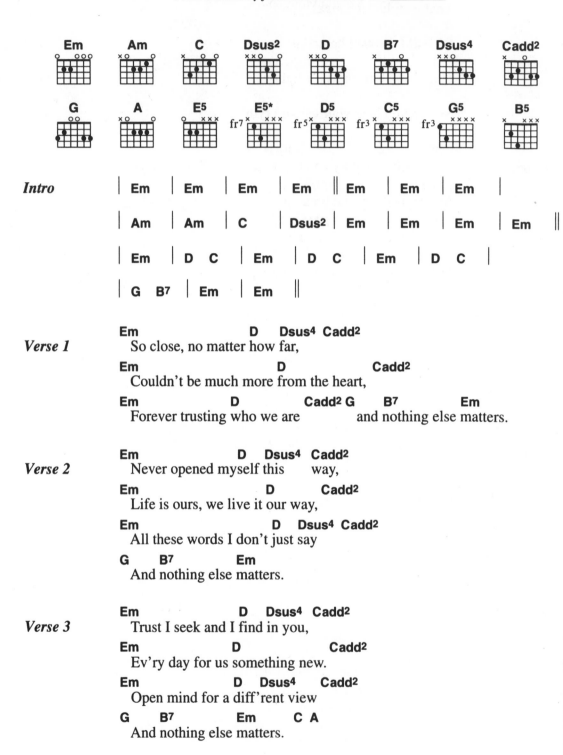

Intro

| Em | Em | Em | Em ‖ Em | Em | Em |

| Am | Am | C | Dsus2 | Em | Em | Em | Em ‖

| Em | D C | Em | D C | Em | D C |

| G B7 | Em | Em ‖

Verse 1

Em   D   Dsus4 Cadd2
So close, no matter how far,

Em   D   Cadd2
Couldn't be much more from the heart,

Em   D   Cadd2 G   B7   Em
Forever trusting who we are   and nothing else matters.

Verse 2

Em   D   Dsus4 Cadd2
Never opened myself this   way,

Em   D   Cadd2
Life is ours, we live it our way,

Em   D   Dsus4 Cadd2
All these words I don't just say

G   B7   Em
And nothing else matters.

Verse 3

Em   D   Dsus4 Cadd2
Trust I seek and I find in you,

Em   D   Cadd2
Ev'ry day for us something new.

Em   D   Dsus4   Cadd2
Open mind for a diff'rent view

G   B7   Em   C A
And nothing else matters.

Chorus 1	**D** **C** **A**
	Never cared for what they do,
	D **C** **A**
	Never cared for what they know,
	D **Em**
	Oh, but I know.

Verse 4   As Verse 1

Chorus 2   As Chorus 1

Instrumental   ‖: Em | Em | Am | Am | C | Dadd² | Em | Em :‖

Verse 5   As Verse 2

Verse 6   As Verse 3

Chorus 3	**D** **C** **A**
	Never cared for what they say,
	D **C** **A**
	Never cared for games they play,
	D **C** **A**
	Never cared for what they do,
	D **C** **A**
	Never cared for what they know,
	D **Em**
	Oh and I know, yeah, yeah.

Solo | E⁵ | D⁵ C⁵ | E⁵ | D⁵ C⁵ | E⁵ | D⁵ C⁵ |

| G⁵ B⁵ | E⁵ | E⁵ | E⁵ | E⁵ ‖

	Em **D** **Dsus⁴ Cadd²**
Verse 7	So close, no matter how far,
	Em **D** **Cadd²**
	Couldn't be much closer from the heart,
	Em **D** **Dsus⁴ Cadd²**
	Forever trusting who we are.
	G **B⁷** **Em**
	No, nothing else matters.

Outro   ‖: Em | Em | Em | Em | Em :‖ *Repeat to fade*

I AM THE RESURRECTION

Words & Music by John Squire & Ian Brown

G   F   C   Em   D   Dsus⁴   Cm

Capo fourth fret*

Verse 1

  G
Down, down, you bring me down,
      F   C   G
I hear you knocking down my door and I can't sleep at night.
  G
Your face it has no place,
       F   C   G
No room for you inside my house, I need to be alone.
  Em
Don't waste your words, I don't need
  C   G
Anything from you.
  Em
I don't care where you've been
    C   D | C   ‖
Or what you plan to do.

Verse 2

  G
Turn, turn, I wish you'd learn,
         F   C   G
There's a time and place for everything, I've got to get it through.
  G
Cut loose 'cause you're no use,
       F   C   G
I couldn't stand another second in your company.
  Em
Don't waste your words, I don't need
  C   G
Anything from you.
  Em
I don't care where you've been
    C   D | C   ‖
Or what you plan to do.

*Chord names refer to capoed guitar

Verse 3

G
Stone me, why can't you see

               F   **C**   **G**
You're a no-one, nowhere washed up baby who'd look better dead.

G
Your tongue is far too long,

               F   **C**   **G**
I don't like the way it sucks and slurps upon my every word.

Em
Don't waste your words, I don't need

C
Anything from you.

Em
I don't care where you've been

   C   **D Dsus4** | **D** ||
Or what you plan to do.

Chorus 1

   C   **Cm**   **G**
I am the resurrection and I am the light,

   C   **Cm**
I couldn't ever bring myself

   G   **Em** | **Em** | **C** | **G** ||
To hate you as I'd like.

Instrumental | **Em** | **Em** | **C** | **G** |

               | **Em** | **Em** | **C** | **D Dsus4** | **D** ||

Chorus 2

   C   **Cm**   **G**
I am the resurrection and I am the light,

    C   **Cm**
I couldn't ever bring myself

    G   **Em** | **Em** | **C** | **G** |
To hate you as I'd like.

| **Em** | **Em** | **C** | **G** ||
Oo, _____ ooh.

Repeat ad lib. to fade

Outro ||: **C** | **G** | **C** | **G** | **C** | **G** | **C** | **G**   :||

TEN STOREY LOVE SONG

Words & Music by John Squire

D	G	D/F#	Em	Em7	A	A7	A6

Intro　　𝄆 D　　𝄇 *Ad lib.*

Verse 1

    D   **G**
When your heart is black and broken
   D   **G**
And you need a helping hand,
     D   **Em**
When you're so much in love
   D/F# **G**   **A**
You don't know just how much you can stand.
     D   **G**
When your questions go unanswered
    D   **G**
And the silence is killing you,
   D/F# **Em**
Take my hand, baby, I'm your man,
   G   **D**   **A** **A7** | **A6** **A** ‖
I've got loving enough for two.

Chorus 1

D **G** **D**
Ten storey love song,
 G **D/F#** **Em**
I built this thing for you.
D **G**   **D**
Who can take you higher
  G **D/F#** **Em**
Than twin peak mountain blue?
   G **D/F#** **Em** **Em7**
Oh well, I built this thing for you,
  A
And I love you true.

Verse 2

        D   **G**
There's no sure-fire set solutions,

      D   **G**
No short cut through the trees.

      D   **Em**
No breach in the wall that they

  D   **G**   **A**
Put there to keep you from me.

         D   **G**
As you're lying awake in this darkness,

        D   **G**
This everlasting night.

        D/F♯   **Em**
Someday soon, don't know where or when,

          G   **D/F♯**   **A**   **A7** | **A6**   **A**   ‖
You're gonna wake up and see the light._____

Chorus 2

D **G** **D**
Ten storey love song,

 G   **D/F♯**   **Em**
I built this thing for you.

D   **G**   **D**
Who can take you higher

 G   **D/F♯**   **Em**
Than twin peak mountain blue?

        G   **D/F♯**   **Em**   **Em7**
Oh well, I built this thing for you,

     A
And I love you true.

Bridge | **G** | **A** | **G** | **A** | **G** | **A** |

            | **G** **D/F♯** | **Em** **Em7** | **A** **A7** | **A6** **A**   ‖

Chorus 3   As Chorus 2

Coda   ‖: **D**   :‖ *Ad lib. to fade*

I CAN'T BE WITH YOU

Music by Dolores O'Riordan & Noel Hogan • Words by Dolores O'Riordan

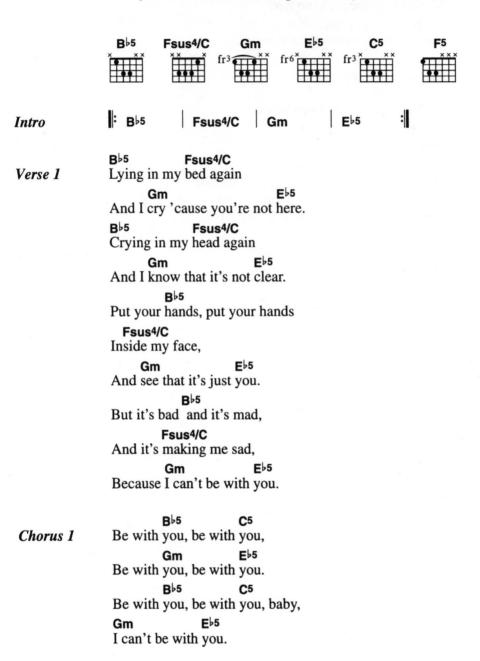

Intro ‖: B♭5 | Fsus4/C | Gm | E♭5 :‖

Verse 1

B♭5 Fsus4/C
Lying in my bed again

Gm E♭5
And I cry 'cause you're not here.

B♭5 Fsus4/C
Crying in my head again

Gm E♭5
And I know that it's not clear.

B♭5
Put your hands, put your hands

Fsus4/C
Inside my face,

Gm E♭5
And see that it's just you.

B♭5
But it's bad and it's mad,

Fsus4/C
And it's making me sad,

Gm E♭5
Because I can't be with you.

Chorus 1

B♭5 C5
Be with you, be with you,

Gm E♭5
Be with you, be with you.

B♭5 C5
Be with you, be with you, baby,

Gm E♭5
I can't be with you.

Verse 2

B♭5   Fsus4/C
Thinking back on how things were,
   Gm   E♭5
And on how we loved so well.
 B♭5   Fsus4/C
I wanted to be the mother of your child
  Gm   E♭5
And now it's just farewell.
    B♭5
Put your hands in my hands
  Fsus4/C
And come with me,
   Gm   E♭5
We'll find another end.
    B♭5
And my head, and my head
  Fsus4/C
On anyone's shoulder,
    Gm   E♭5
'Cause I can't be with you.

Chorus 2   As Chorus 1

(E♭5)   B♭5
'Cause you're not here,
     C5
You're not here, baby,
Gm   E♭5
I can't be with you.
     B♭5
'Cause you're not here,
     C5
You're not here, baby,
Gm   E♭5
Still in love with you.

Outro

   B♭5 F5 Gm   E♭5
Na, na, na, still in love with you.
 B♭5   F5   Gm   E♭5
‖: Na, na, na, na, na, na, still in love with you.
 B♭5   F5   Gm   E♭5
Oo-ooh, __ ooh, __ when I'm still in love with you. :‖ *Repeat to fade*

LET IT GROW

Words & Music by Eric Clapton

| Bm | F#7 | Bm/A | E | G | A |
| B | Bmaj7 | G#m | G#m7 | D/F# | Em7 |

Verse 1

Bm   F#7   Bm/A   E
Standing at the crossroads trying to read the signs

G   A   Bm   F#7
To tell me which way I should go to find the answer,

    Bm/A   E
And all the time I know:

G   A   B
Plant your love and let it grow.

Chorus 1

B   Bmaj7   G#m   G#m7
Let it grow, let it grow, _____

E   B   A
Let it blossom, let it flow. _____

B   Bmaj7   G#m   G#m7
In the sun, the rain, the snow, _____

E   B   A   F#7
Love is lovely, let it grow. _____

Verse 2

Bm   F#7   Bm/A   E
Looking for a reason to check out on my mind.

G   A   Bm   F#7
It ain't hard to get a friend that I can count on.

       Bm/A   E
There's nothing left to show:

G   A   B
Plant your love and let it grow.

Chorus 2

B Bmaj7 G♯m G♯m7
Let it grow, let it grow, _____

E B   A
Let it blossom, let it flow. _____

B Bmaj7   G♯m G♯m7
In the sun, the rain, the snow, _____

E B A F♯7
Love is lovely, let it grow (let it grow).

Bridge

| G D/F♯ | Em7 Bm | A | G D/F♯ | Em7 Bm | F♯7 | F♯7 ‖

| Bm F♯7 | Bm/A E | G A | Bm F♯7 | Bm/A E | G A ‖

Verse 3

Bm   F♯7   Bm/A   E
Time is getting shorter and there's much for you to do.

G A   Bm   F♯7
Only ask'n', only ask'n' you will get what you are needin'

   Bm/A   E
The rest is up to you:

G   A   B
Plant your love and let it grow.

Chorus 3

B Bmaj7 G♯m G♯m7
Let it grow, let it grow, _____

E B   A
Let it blossom, let it flow. _____

B Bmaj7   G♯m G♯m7
In the sun, the rain, the snow, _____

E B A
Love is lovely, so let it

Chorus 4

B Bmaj7 G♯m G♯m7
Let it grow, let it grow, _____

E B   A
Let it blossom, let it flow. _____

B Bmaj7   G♯m G♯m7
In the sun, the rain, the snow, _____

E B A F♯7
Love is lovely, let it grow. _____

Coda

‖: Bm F♯7 | Bm/A E | G A :‖ *Repeat to fade*

85

WONDERFUL TONIGHT

Words & Music by Eric Clapton

G	D/F#	C	D	Em

Intro   ‖: G | D/F# | C | D   :‖

Verse 1

```
         G          D/F#
It's late in the evening,
    C                      D
She's wondering what clothes to wear.
    G                  D/F#
She puts on her make-up
    C                  D
And brushes her long blonde hair.
    C               D
And then she asks me,
    G     D/F#   Em
"Do I look alright?"
                   C           D          G
And I say, "Yes, you look wonderful tonight."
```

Link | G | D/F# | C | D   ‖

Verse 2

```
    G          D/F#
We go to a party
    C               D
And everyone turns to see
    G                D/F#
This beautiful lady
    C                  D
That's walking around with me.
    C               D
And then she asks me,
    G        D/F#   Em
"Do you feel alright?"
                  C         D         G
And I say, "Yes, I feel wonderful tonight."
```

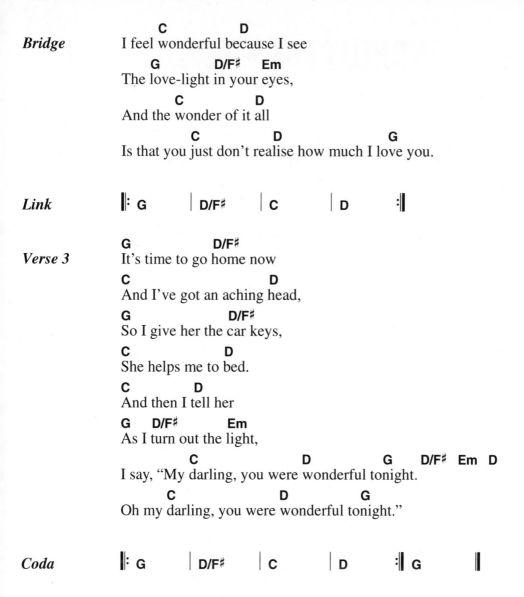

Bridge

    C   D
I feel wonderful because I see
       G   D/F♯   Em
The love-light in your eyes,
       C   D
And the wonder of it all
         C   D   G
Is that you just don't realise how much I love you.

Link   ‖: G | D/F♯ | C | D   :‖

Verse 3

G   D/F♯
It's time to go home now
C   D
And I've got an aching head,
G   D/F♯
So I give her the car keys,
C   D
She helps me to bed.
C   D
And then I tell her
G   D/F♯   Em
As I turn out the light,
         C   D   G   D/F♯ Em D
I say, "My darling, you were wonderful tonight.
        C   D   G
Oh my darling, you were wonderful tonight."

Coda   ‖: G | D/F♯ | C | D   :‖ G   ‖

SATURDAY NIGHT

Words & Music by Brett Anderson & Richard Oakes

A C#m/G#* G D/F# Dm/F Esus4

E C#m/G# E7sus4 Bm7 D F#m7/11 B7sus4

Tune guitar down one tone

Intro

| A | A | C#m/G#* | C#m/G#* | G | |

| G | D/F# | Dm/F | Esus4 E | E | ‖

Verse 1

  A   C#m/G#
Today she's been walking,

    G   D/F# Dm/F
She's been talking, she's been smoking,

Esus4   E
 It's gonna be alright.

    A   C#m/G#
'Cos tonight we'll go dancing,

    G   D/F# Dm/F
We'll go laughing, we'll get car sick.

E7sus4   E   E7sus4
 And it'll be O.K. like everyone says,

     E   E7sus4
It'll be alright and ever so nice,

     Bm7   Dm/F
We're going out tonight, out and about tonight.

Chorus 1

   D   E
 Oh, whatever makes her happy

 A   F#m7/11
 On a Saturday night,

 D   E
 Oh, whatever makes her happy,

 A   Bm7 Dm/F
 Whatever makes it alright, ah. ____

Verse 2

A   C#m/G#
Today she's been sat there,

         G   D/F#   Dm/F
Sat there in a black chair, office furniture,

Esus4   E
   But it'll be alright.

       A   C#m/G#
'Cos tonight we'll go drinking,

         G   D/F#   Dm/F
We'll do silly things, and never let the winter in.

E7sus4   E   E7sus4
   And it'll be O.K. like everyone says,

          E   E7sus4
It'll be alright and ever so nice,

         Bm7   Dm/F
We're going out tonight, out and about tonight.

Chorus 2   As Chorus 1

Bridge

A   C#m/G#   B7sus4   Dm/F
We'll go to freak shows and peep shows, ah. ____

A   C#m/G#   B7sus4   Dm/F
We'll go to discos, casinos, ah. ____

A   C#m/G#   E
We'll go where people go and let go.

Chorus 3

‖:   D   E
     Oh, whatever makes her happy

A   F#m7/11
   On a Saturday night,

D   E
   Oh, whatever makes her happy,

A   Bm7
   Whatever makes it alright.   :‖

Outro

‖: D   E   A   F#m7/11
  Oh, ____   la la la la la, la,

D   E   A   Bm7
Oh, ____   la la la la la, la.   :‖ *Repeat to fade*

THE WILD ONES

Words & Music by Brett Anderson & Bernard Butler

E A Aadd2 Amaj9 F#m B C#m F#7/11 Amaj7

Tune guitar down one semitone

Intro

| E | E | A Aadd2 | Amaj9 |
| F#m | A | E | E ||

Verse 1

                        Aadd2
There's a song playing on the radio,

F#m   Aadd2   E
Sky high in the airwaves on the morning show.

                          Aadd2
And there's a lifeline slipping as the record plays,

         F#m
As I open the blinds in my mind

   Amaj9   E
I'm believing that you could stay.

Chorus 1

     A E B
And oh, if you stay,

             A   E   B
Well, I'll chase the rain-blown fields away,

              A   E B
We'll shine like the morning and sin in the sun,

     C#m
Oh, if you stay,

F#7/11   A   Amaj9
  We'll be the wild ones,

              E
Running with the dogs today.

Verse 2

                                               Aadd²
There's a song playing through another wall,

   F#m   **Aadd²**
All we see and believe is the D.J.

               E
And the debts dissolve.

                                 Aadd²
And it's a shame the plane is leaving on this sunny day,

   F#m   **Aadd²**
'Cos on you my tattoo will be bleeding

               E
And the name will stain.

Chorus 2

    A   **E** **B**
And oh, if you stay,

            A   **E** **B**
We'll ride from disguised suburban graves,

            A
We'll go from the bungalows

  E **B**   **C#m**   **F#7/11**
Where the debts still grow each day.

Chorus 3

    A   **E** **B**
And oh, if you stay,

           A   **E** **B**
Well, I'll chase the rain-blown fears away,

         A   **E** **B**
We'll shine like the morning and sin in the sun,

        C#m
Oh, if you stay,

F#7/11   **A**
  We'll be the wild ones,

               E
Running with the dogs today.

B   **Amaj⁷**
  We'll be the wild ones,

               E
Running with the dogs today.

Outro

    A   **E** **B**
𝄆 Oh, if you stay,

A   **E** **B**
Oh,___ if you stay,

A   **E** **B**   **C#m** **F#7/11**
Oh,___ if you stay.   𝄇   *Repeat to fade*

THE CHANGINGMAN

Words & Music by Paul Weller & Brendan Lynch

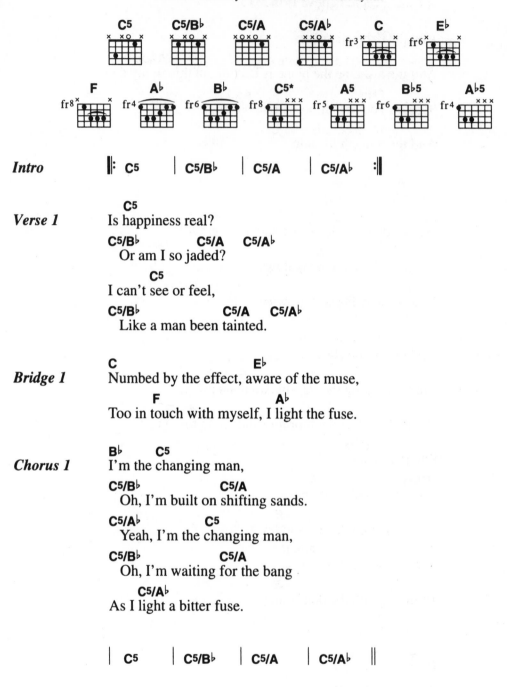

Intro ‖: C5 | C5/B♭ | C5/A | C5/A♭ :‖

Verse 1

C5
Is happiness real?

C5/B♭   C5/A   C5/A♭
  Or am I so jaded?

       C5
I can't see or feel,

C5/B♭   C5/A   C5/A♭
  Like a man been tainted.

Bridge 1

C   E♭
Numbed by the effect, aware of the muse,

        F   A♭
Too in touch with myself, I light the fuse.

Chorus 1

B♭   C5
I'm the changing man,

C5/B♭   C5/A
  Oh, I'm built on shifting sands.

C5/A♭   C5
  Yeah, I'm the changing man,

C5/B♭   C5/A
  Oh, I'm waiting for the bang

     C5/A♭
As I light a bitter fuse.

| C5 | C5/B♭ | C5/A | C5/A♭ ‖

Verse 2

C5
Our time is on loan,

C5/B♭   C5/A   C5/A♭
Only ours to borrow.

C5
What I can't be today

C5/B♭   C5/A   C5/A♭
I can be tomorrow.

Bridge 2

C   E♭
The more I see, the more I know,

F   A♭
The more I know, the less I understand.

Chorus 2   As Chorus 1

| C5 | C5/B♭ | C5/A | C5/A♭ ||

Solo ||: C5 | C5/B♭ | C5/A | C5/A♭ :||

Link

C5*   A5 B♭5   C5 A5 A♭5
It's a bigger part   when our instincts act.

C5*   A5 B♭5   C5 A5 A♭5
Oh, a shot in the dark, a movement in black.

Bridge 3

C   E♭
And the more I see, the more I know,

F   A♭
The more I know, the less I understand.

Chorus 3   As Chorus 1

| C5 | C5/B♭ | C5/A | C5/A♭ ||

Chorus 4   As Chorus 1

||: C5 | A5 B♭5 | C5 | A5 A♭5 :||

| C5 | C5/A C5/B♭ | C5 | C5/A C5/A♭ |

| C | C5/A C5/B♭ | C5 | C5/A C5/A♭ ||

HUSH

Words & Music by Joe South

Intro

| C Csus4 | C Csus4 | C Csus4 | C   Csus4 |

One, two, three, four.

| C Csus4 | C Csus4 | C Csus4 | C Csus4 |

| C7♯9 | C7♯9 | C7♯9 | C7♯9 ‖

Link 1

A♭   E♭   B♭   F   C7♯9
Na na-na na, na-na na na na,
A♭   E♭   B♭   F   C7♯9
Na na-na na, na-na na na na.

Verse 1

           C
Well, got a silly little girl, she's on my mind,

Look out about, she looks so fine.

She's the best girl that I ever had,

'Cept that's the girl that made me feel so sad.

Link 2

A♭   E♭   B♭   F   C7♯9
Na na-na na, na-na na na na,
A♭   E♭   B♭   F   C7♯9
Na na-na na, na-na na na na.

Chorus 1

          C7♯9   F   B♭
Hey, now, hush, hush I thought I heard you calling my name, now,
C7♯9   F   B♭
Hush, hush, you broke my heart, but that was a dream, now.
C7♯9   F   B♭
Hush, hush I thought I heard you call my name, now,
C7♯9   F   B♭
Hush, hush, you broke my heart, but that was a dream, now.

cont.

C7♯9
Early in the morning, late in the evening,

Oh, gotta believe me, honey,

Oh, I never was a dreamer.

Solo 1

| C7♯9 | C | C | B♭ F |
| C7♯9 | C7♯9 | C7♯9 | B♭ F ‖

Chorus 2

C7♯9   F   B♭
Hush, hush I thought I heard you calling my name, now,
C7♯9   F   B♭
Hush, hush, you broke my heart, but that was a dream, now.
C7♯9   F   B♭
Hush, hush I thought I heard you call my name, now,
C7♯9   F   B♭
Hush, hush, you broke my heart, but that was a dream, now.
C7♯9
Early in the morning, late in the evening, oh _____ yeah!

Solo 2

| C7♯9 | C | C | B♭ F |
| C7♯9 | C7♯9 | C | B♭ F ‖

Link 3

A♭   E♭   B♭ F C7♯9
Na na-na na, na-na na na na,
A♭   E♭   B♭ F C7♯9
Na na-na na, na-na na na na.

Coda

A♭   E♭
Na, _____ na-na na, _____
   B♭   F C7♯9
Na-na na, _____ na na.

SOUND OF DRUMS

Words & Music by Crispian Mills, Alonza Bevan, Paul Winter-Hart & Jay Darlington

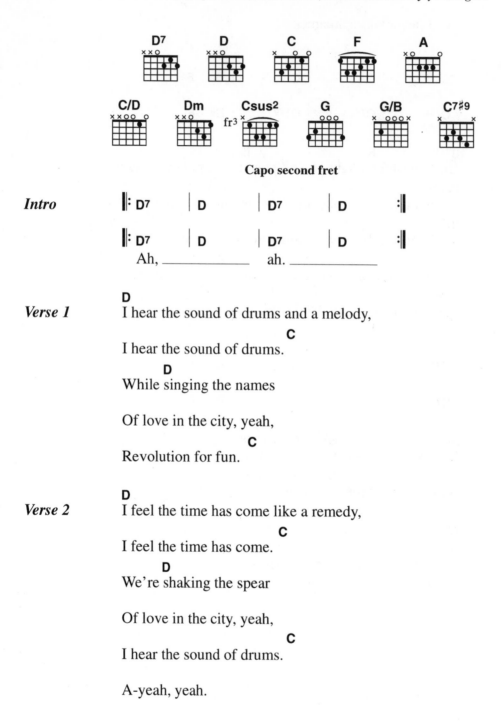

Capo second fret

Intro   ‖: D7 | D | D7 | D :‖

‖: D7 | D | D7 | D :‖
Ah, _____ ah. _____

Verse 1
D
I hear the sound of drums and a melody,
⠀⠀⠀⠀⠀⠀⠀⠀⠀⠀⠀⠀⠀⠀⠀C
I hear the sound of drums.
⠀⠀⠀D
While singing the names

Of love in the city, yeah,
⠀⠀⠀⠀⠀⠀⠀⠀⠀C
Revolution for fun.

Verse 2
D
I feel the time has come like a remedy,
⠀⠀⠀⠀⠀⠀⠀⠀⠀⠀⠀C
I feel the time has come.
⠀⠀⠀D
We're shaking the spear

Of love in the city, yeah,
⠀⠀⠀⠀⠀⠀⠀⠀⠀C
I hear the sound of drums.

A-yeah, yeah.

Chorus 1
| F A | D C |
F A D C
But can you feel the love for me, yeah, yeah? ―

| F A | D C |
                          A
I feel the time has come,
C   A
I hear the sound of drums. ＿＿＿

Verse 3
D
I hear the sound of drums and a melody,
                              C
Calling me to return.
        D
Well light up and catch the sun

'Cause it's gonna be
                        C
Revolution for fun.

Yeah, yeah,

Chorus 2
| F A | D C |
F A D C
Can you feel the love for me, yeah, yeah?

| F A | D C |
                          A
I feel the time has come,
C   A
I hear the sound of drums, ＿＿＿
A
Drums. ＿＿＿

Instrumental ‖: C/D D | C/D D | C/D D | C/D D :‖

Solo ‖: D F | G | D F | G :‖ *Play 4 times*

Verse 4

```
        Dm        Csus2      G      C
Well I feel the time has come in a melody,
Dm        Csus2   G
I see the golden one.
        Dm           Csus2  G        C
Well I'm not the only   one with a remedy,
C              G/B    A
I'm not the only one.
C          G/B        A
I feel the time has come,
C          G/B        A
I hear the sound of drums, _____
```

Drums. _____

Coda

‖: D C7♯9 │ D C7♯9 │ D C7♯9 │ D C7♯9 :‖

│ D   │ D C7♯9 │ D   │ D C7♯9 │

│ D   │ D C7♯9 │ D   ‖

THE BEST GUITAR CHORD
SONGBOOK EVER!

CONTENTS

BRIMFUL OF ASHA

Words & Music by Tjinder Singh

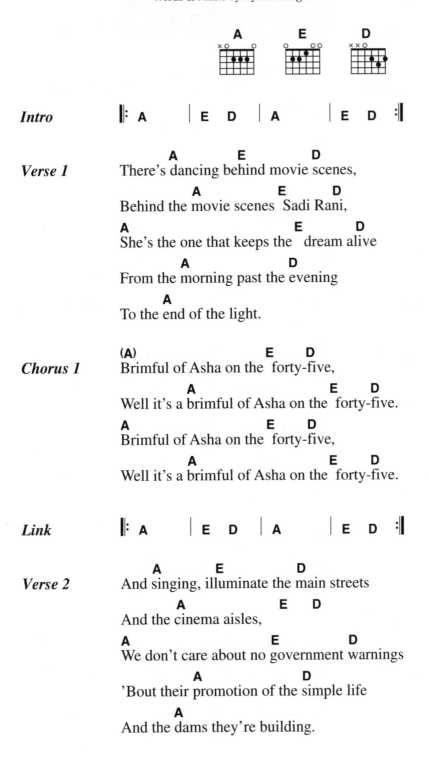

Intro ‖: A | E D | A | E D :‖

Verse 1

      A   E   D
There's dancing behind movie scenes,

      A   E   D
Behind the movie scenes Sadi Rani,

A   E   D
She's the one that keeps the   dream alive

      A   D
From the morning past the evening

      A
To the end of the light.

Chorus 1

(A)   E   D
Brimful of Asha on the forty-five,

      A   E   D
Well it's a brimful of Asha on the forty-five.

A   E   D
Brimful of Asha on the forty-five,

      A   E   D
Well it's a brimful of Asha on the forty-five.

Link ‖: A | E D | A | E D :‖

Verse 2

      A   E   D
And singing, illuminate the main streets

      A   E D
And the cinema aisles,

A   E   D
We don't care about no government warnings

      A   D
'Bout their promotion of the simple life

      A
And the dams they're building.

Chorus 2   As Chorus 1

Bridge 1

A   **D**
Everybody needs a bosom for a pillow,

A   **D**
Everybody needs a bosom.

A   **D**
Everybody needs a bosom for a pillow,

A   **D**
Everybody needs a bosom.

A   **D**
Everybody needs a bosom for a pillow,

A   **D**
Everybody needs a bosom.

Mine's on the forty-(five.)

Link   ‖: **A** | **E** **D** | **A** | **E** **D** :‖
           five.

Verse 3

A   **E**   **D**
Mohamid Rufi. (Forty-five.)

A   **E**   **D**
Lata Mangeskar. (Forty-five.)

A   **E**   **D**
Solid state radio. (Forty-five.)

A   **E**   **D**
Ferguson mono. (Forty-five.)

A   **E**   **D**
Bon Publeek. (Forty-five.)

A   **D**
Jacques Dutronc and the Bolan Boogie,

     A   **D**
The Heavy Hitters and the chi-chi music,

A   **E**   **D**
All India Radio. (Forty-five.)

A   **E**   **D**
Two-in-ones. (Forty-five.)

A   **E**   **D**
Argo records. (Forty-five.)

A   **E**   **D**
Trojan records. (Forty-five.)

Chorus 3

> A   E   D
> Brimful of Asha on the forty-five,
>
>   A   E   D
> Well it's a brimful of Asha on the forty-five.
>
> A   E   D
> Brimful of Asha on the forty-five,
>
>   A   E   D
> Well it's a brimful of Asha on the forty-five.

Bridge 2

> A   D
> Everybody needs a bosom for a pillow,
>
> A   D
> Everybody needs a bosom.
>
> A   D
> Everybody needs a bosom for a pillow,
>
> A   D
> Everybody needs a bosom.
>
> A   D
> Everybody needs a bosom for a pillow,
>
> A   D
> Everybody needs a bosom.
>
> Mine's on the forty-(five.).

Link

> ‖: A | E   D | A | E   D :‖
>   five.

Verse 4

> A   E   D
> Seventy-seven thousand piece orchestra set.
>
> A
> Everybody needs a bosom for a pillow,
>
> E   D
> Mine's on the r.p.m.

Chorus 4   As Chorus 3

Bridge 3   ‖: As Bridge 2 :‖   *Repeat to fade*

DON'T LOOK BACK IN ANGER

Words & Music by Noel Gallagher

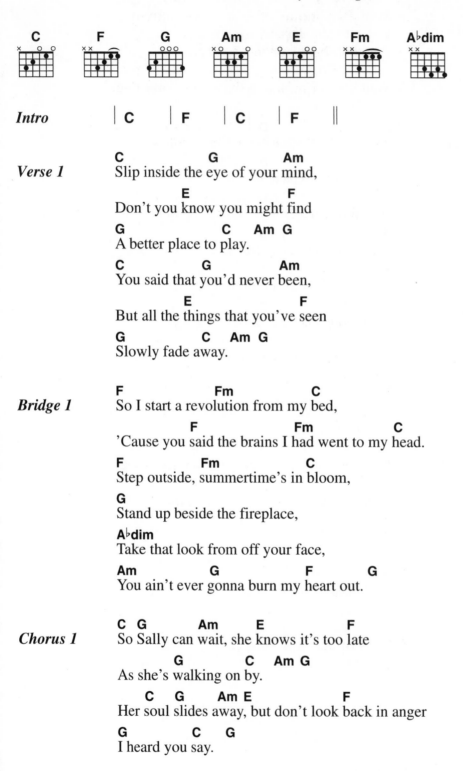

Intro | C | F | C | F ||

Verse 1

C   G   Am
Slip inside the eye of your mind,

            E   F
Don't you know you might find

G   C   Am G
A better place to play.

C   G   Am
You said that you'd never been,

           E   F
But all the things that you've seen

G   C   Am G
Slowly fade away.

Bridge 1

F   Fm   C
So I start a revolution from my bed,

          F   Fm   C
'Cause you said the brains I had went to my head.

F   Fm   C
Step outside, summertime's in bloom,

G
Stand up beside the fireplace,

A♭dim
Take that look from off your face,

Am   G   F   G
You ain't ever gonna burn my heart out.

Chorus 1

C G   Am   E   F
So Sally can wait, she knows it's too late

           G   C Am G
As she's walking on by.

     C   G   Am E   F
Her soul slides away, but don't look back in anger

G   C G
I heard you say.

Instrumental | Am E | F G | C Am G ‖

Verse 2

C   G   Am
Take me to the place where you go,

       E   F
Where nobody knows

G   C Am G
If it's night or day.

C   G   Am
Please don't put your life in the hands

      E   F
Of a rock 'n' roll band

G   C Am G
Who'll throw it all away.

Bridge 2   As Bridge 1

Chorus 2

C G   Am   E   F
So Sally can wait, she knows it's too late

         G   C Am G
As she's walking on by.

    C G Am E   F
Her soul slides away, but don't look back in anger

G   C Am G
I heard you say.

Guitar solo   Chords as Bridge

Chorus 3   As Chorus 2

Chorus 4

C G   Am   E   F
So Sally can wait, she knows it's too late

         G   C Am G
As she's walking on by.

    C G Am   Fadd9
Her soul slides away, but don't look back in anger,

      Fm7
Don't look back in anger

           C   G | Am E | F Fm |
I heard you say.

        C
It's not too late.

EVERYBODY'S TALKIN'

Words & Music by Fred Neil

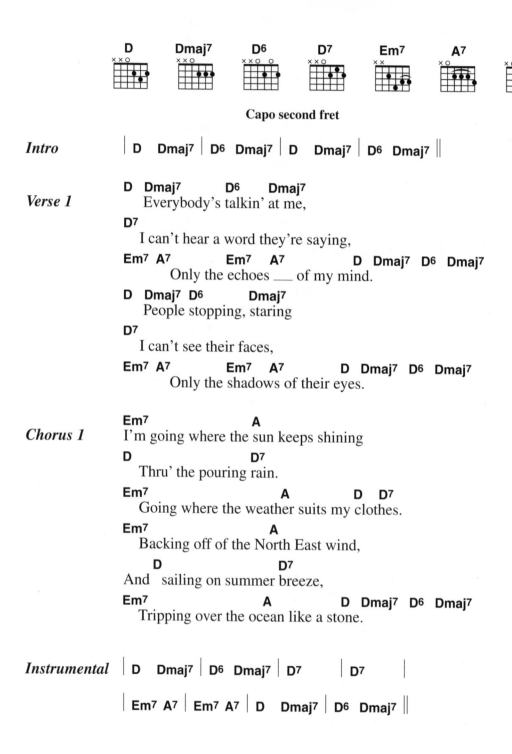

Capo second fret

Intro
‖ D   Dmaj⁷ | D⁶   Dmaj⁷ | D   Dmaj⁷ | D⁶   Dmaj⁷ ‖

Verse 1

D Dmaj⁷   D⁶   Dmaj⁷
Everybody's talkin' at me,

D⁷
I can't hear a word they're saying,

Em⁷ A⁷   Em⁷   A⁷   D Dmaj⁷ D⁶ Dmaj⁷
Only the echoes ⏤ of my mind.

D Dmaj⁷ D⁶   Dmaj⁷
People stopping, staring

D⁷
I can't see their faces,

Em⁷ A⁷   Em⁷   A⁷   D Dmaj⁷ D⁶ Dmaj⁷
Only the shadows of their eyes.

Chorus 1

Em⁷   A
I'm going where the sun keeps shining

D   D⁷
Thru' the pouring rain.

Em⁷   A   D D⁷
Going where the weather suits my clothes.

Em⁷   A
Backing off of the North East wind,

     D   D⁷
And   sailing on summer breeze,

Em⁷   A   D Dmaj⁷ D⁶ Dmaj⁷
Tripping over the ocean like a stone.

Instrumental
‖ D   Dmaj⁷ | D⁶   Dmaj⁷ | D⁷ | D⁷ |

| Em⁷ A⁷ | Em⁷ A⁷ | D   Dmaj⁷ | D⁶ Dmaj⁷ ‖

Chorus 2

Em7   A
I'm going where the sun keeps shining

D   D7
 Thru' the pouring rain.

Em7   A   D D7
 Going where the weather suits my clothes.

Em7   A
 Backing off of the North East wind,

  D   D7
And sailing on summer breeze,

Em7   A   D Dmaj7 D6 Dmaj7
 Tripping over the ocean like a stone.

D Dmaj7 D6 Dmaj7 D Dmaj7 D6 Dmaj7
 Everybody's talkin' at me. _____

‖: D Dmaj7 | D6 Dmaj7 | D Dmaj7 | D6 Dmaj7 |

| D Dmaj7 | D6 Dmaj7 | D Dmaj7 | D6 Dmaj7 :‖ D   ‖

FIELDS OF GOLD

Words & Music by Sting

Bm7 Bsus2 G D G/B A G/D

Intro ‖: Bm7 | Bm7 | Bm7 | Bm7 :‖

Verse 1

           Bsus2   G
You'll remember me when the west wind moves
                D
Upon the fields of barley.
           Bsus2   G   D
You'll forget the sun in his jealous sky
          G/B   A   Bm7 G D
As we walk in fields of gold.
          Bsus2   G
So she took her love for to gaze a while
                D
Upon the fields of barley.
          Bsus2   G   D
In his arms she fell as her hair came down
         G/B A   D
Among   the fields of gold.

Verse 2

           Bsus2   G
Will you stay with me, will you be my love
               D
Among the fields of barley?
          Bsus2   G   D
We'll forget the sun in his jealous sky
          G/B   A   Bm7 G D
As we lie in fields of gold.
          Bsus2   G
See the west wind move like a lover so,
                D
Upon the fields of barley.
          Bsus2   G   D
Feel her body rise when you kiss her mouth,
         G/B A   D
Among   the fields of gold.

Middle

G   D
I never made promises lightly,

G   D
And there have been some that I've broken,

G   D
But I swear in the days still left

    G/B A   D
We'll walk in fields of gold,

   G/B A   D
We'll walk in fields of gold.

Instrumental ‖ **Bsus2** | **G** | **G** | **D** |

      | **Bsus2** | **G** **D** | **G/B** **A** | **D**   ‖

Verse 3

    Bsus2   G
Many years have passed since those summer days

       D
Among the fields of barley.

    Bsus2   G D
See the children run as the sun goes down

  G/B A   D
Among the fields of gold.

    Bsus2   G
You'll remember me when the west wind moves

       D
Upon the fields of barley.

    Bsus2   G D
You can tell the sun in his jealous sky

    G/B A   D
When we walked in fields of gold,

    G/B A   D
When we walked in fields of gold,

    G/B A
When we walked in fields of gold.

Instrumental ‖ **D** **G/D** **D**| **D** **G/D** **D** | **D** **G/D** **D** | **D** **G/D** **D**|

       | **D** **G/D** **D**| **D** **G/D** **D** | **D** **G/D** **D** | **D**   ‖

HERE COMES THE SUN

Words & Music by George Harrison

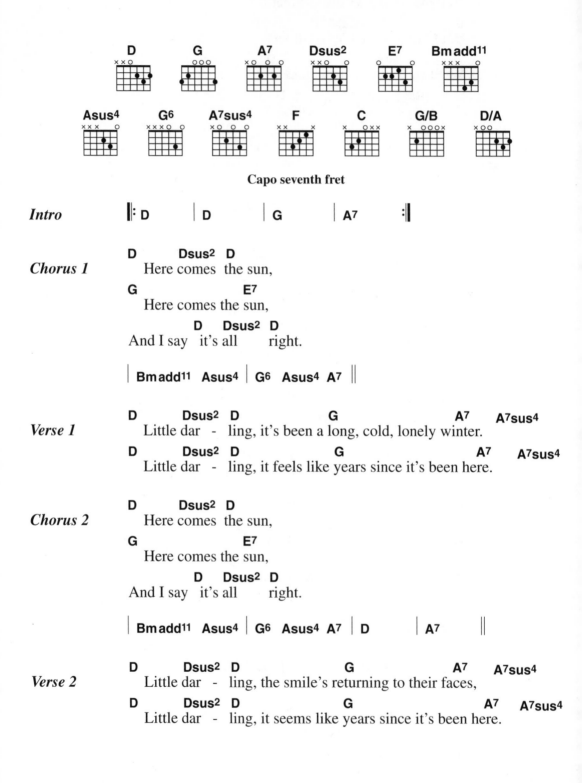

Capo seventh fret

Intro

‖: D | D | G | A⁷ :‖

Chorus 1

D   Dsus² D
Here comes the sun,
G   E⁷
Here comes the sun,
        D   Dsus² D
And I say it's all   right.

| Bmadd¹¹ Asus⁴ | G⁶ Asus⁴ A⁷ ‖

Verse 1

D   Dsus² D   G   A⁷   A⁷sus⁴
Little dar - ling, it's been a long, cold, lonely winter.
D   Dsus² D   G   A⁷   A⁷sus⁴
Little dar - ling, it feels like years since it's been here.

Chorus 2

D   Dsus² D
Here comes the sun,
G   E⁷
Here comes the sun,
        D   Dsus² D
And I say it's all   right.

| Bmadd¹¹ Asus⁴ | G⁶ Asus⁴ A⁷ | D | A⁷   ‖

Verse 2

D   Dsus² D   G   A⁷   A⁷sus⁴
Little dar - ling, the smile's returning to their faces,
D   Dsus² D   G   A⁷   A⁷sus⁴
Little dar - ling, it seems like years since it's been here.

Chorus 3

```
D          Dsus2  D
    Here comes  the sun,
G                      E7
    Here comes the sun,
              D     Dsus2  D
And I say   it's all       right.
```

| Bmadd11 Asus4 | G6 Asus4 A7 | D | A7 ||

Bridge

| F | C | G/B | G | D | A7 |

‖: F | C | G/B | G | D | A7   :‖   *Play 5 times*
```
    Sun,      sun,       sun,        here it comes.
```

| A7 | A7sus4 | A7 | A7sus4 A ||

Verse 3

```
D          Dsus2  D                G                 A7      A7sus4
    Little dar  -  ling, I feel that ice is slowly melting,
D          Dsus2  D                G                    A7      A7sus4
    Little dar  -  ling, it seems like years since it's been clear.
```

Chorus 4   As Chorus 1

Chorus 5

```
D          Dsus2  D
    Here comes  the sun,
G                      E7
    Here comes the sun,
              D     Dsus2  D
    It's alright.
```

| Bmadd11 Asus4 | G6 Asus4 A7 |
```
D        Dsus2  D
    It's all       right.
```

Coda

| Bmadd11 Asus4 | G6 Asus4 A7 |

| F   C | G/B   G | D/A   ‖

HOW DEEP IS YOUR LOVE

Words & Music by Barry Gibb, Robin Gibb & Maurice Gibb

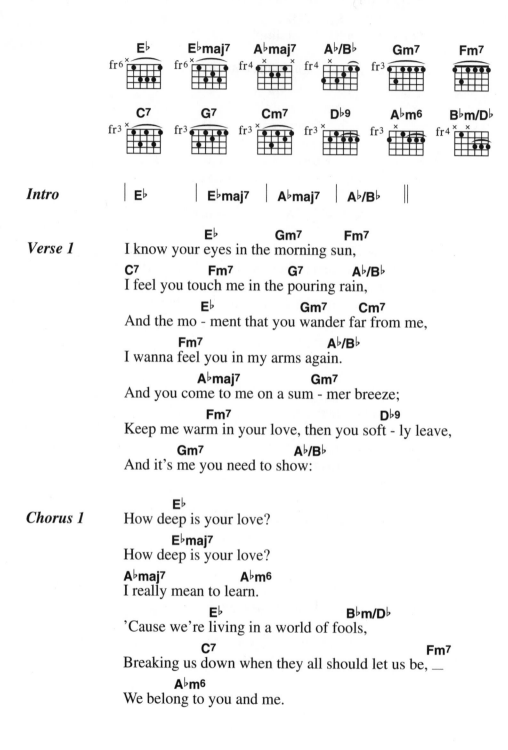

Intro | E♭ | E♭maj7 | A♭maj7 | A♭/B♭ ‖

Verse 1

E♭   Gm7 Fm7
I know your eyes in the morning sun,

C7   Fm7   G7   A♭/B♭
I feel you touch me in the pouring rain,

E♭   Gm7 Cm7
And the mo - ment that you wander far from me,

Fm7   A♭/B♭
I wanna feel you in my arms again.

A♭maj7   Gm7
And you come to me on a sum - mer breeze;

Fm7   D♭9
Keep me warm in your love, then you soft - ly leave,

Gm7   A♭/B♭
And it's me you need to show:

Chorus 1

E♭
How deep is your love?

E♭maj7
How deep is your love?

A♭maj7   A♭m6
I really mean to learn.

E♭   B♭m/D♭
'Cause we're living in a world of fools,

C7   Fm7
Breaking us down when they all should let us be, ___

A♭m6
We belong to you and me.

Verse 2

E♭   Gm7   Fm7
I believe in you,

C7   Fm7   G7   A♭/B♭
You know the door to my very soul.

            E♭   Gm7   Cm7
You're the light in my deepest, dark - est hour,

        Fm7   A♭/B♭
You're my saviour when I fall.

        A♭maj7   Gm7
And you may not think I care for you

        Fm7   D♭9
When you know down inside that I real - ly do,

    Gm7   A♭/B♭
And it's me you need to show:

Chorus 2

     E♭
How deep is your love?

    E♭maj7
How deep is your love?

A♭maj7   A♭m6
I really mean to learn.

        E♭   B♭m/D♭
'Cause we're living in a world of fools,

      C7   Fm7
Breaking us down when they all should let us be, —

    A♭m6
We belong to you and me.

| E♭ Gm7 | A♭/B♭   ‖

Chorus 3

     E♭
‖: How deep is your love?

    E♭maj7
How deep is your love?

A♭maj7   A♭m6
I really mean to learn.

        E♭   B♭m/D♭
'Cause we're living in a world of fools,

      C7   Fm7
Breaking us down when they all should let us be, —

    A♭m6
We belong to you and me.   :‖   *Repeat to fade*

I WOULDN'T BELIEVE YOUR RADIO

Words by Kelly Jones

Aadd9   Cmaj7   G6   D   C   G   Em7   A7sus4

Intro | Drums for 4 bars ‖: Asus2 | Asus2 | Cmaj7 | G6 :‖

Verse 1
Aadd9   Cmaj7   G6
Travelling through a tunnel under sea,
Aadd9
You never know if it cracks in half,
    Cmaj7   G6
You're never ever gonna see me.

Chorus 1
D   C   G
But you can have it all if you like,
D   C   G
You can have it all if you like,

And you can pay for it the rest of your
Aadd9 Cmaj7   G6
Li - -   fe,
Aadd9 Cmaj7   G6
Li - -   fe.

Verse 2
Aadd9   Cmaj7   G6
I wouldn't believe your wireless radio.
Aadd9
If I had myself a flying giraffe
    Cmaj7   G6
You'd have one in a box with a window.

Chorus 2   As Chorus 1

Solo   ‖: D | C | G | G :‖

Music by Kelly Jones, Richard Jones & Stuart Cable

Middle

Em7　　　　　　A7sus4　　　　　Em7
　　Life in the summer's on its back,

　　　　　　　　　A7sus4　　　　　Em7
You'd have to agree that that's the crack,

　　　　　　　　　　　A7sus4　　　　　　　G
So take what you want, I'm not coming back.

Chorus 3

D　　　　　　　　　　　　　C　　　G
　　So you can have it all if you like,

D　　　　　　　　　C　　　G
　　You can have it all if you like,

D　　　　　　　　　　　　C　　　G
　　So you can have it all if you like,

D　　　　　　　　　　C　　　G
　　You can have it all if you like,

　　　　　　　　　　　　　　　　　　Aadd9
And you can pay for it the rest of your

　　　　　Cmaj7　G6
Li　-　　-　　fe,

Aadd9　Cmaj7　G6
Li　-　　-　　fe,

Aadd9　Cmaj7　G6
Li　-　　-　　fe,

Aadd9　Cmaj7　G6
Li　-　　-　　fe.

Coda　　　　‖: Aadd9　│ Aadd9　G6 │ Aadd9　　│ Aadd9　G6 :‖ Aadd9　　‖

115

KNOWING ME, KNOWING YOU

Words & Music by Benny Andersson, Björn Ulvaeus & Stig Anderson

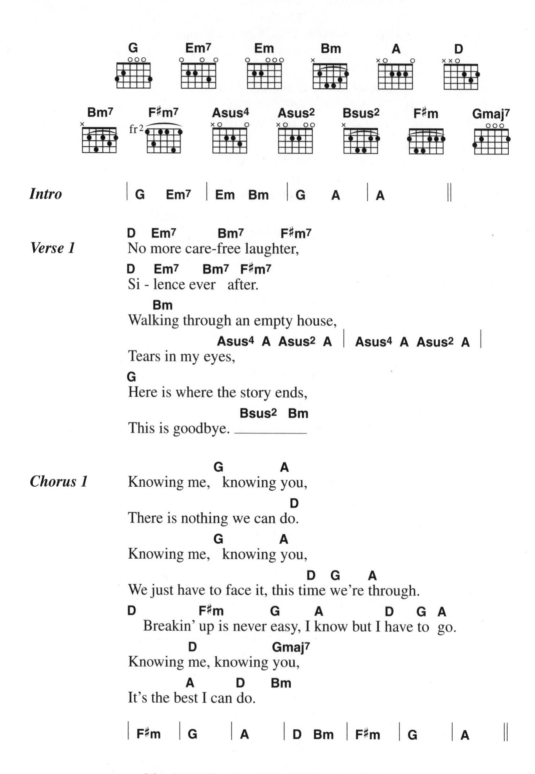

Intro | G   Em7 | Em   Bm | G   A | A ‖

Verse 1

D   Em7   Bm7   F#m7
No more care-free laughter,

D   Em7   Bm7 F#m7
Si - lence ever   after.

Bm
Walking through an empty house,

Asus4 A Asus2 A | Asus4 A Asus2 A |
Tears in my eyes,

G
Here is where the story ends,

Bsus2 Bm
This is goodbye. _____

Chorus 1

G   A
Knowing me,   knowing you,

D
There is nothing we can do.

G   A
Knowing me,   knowing you,

D G   A
We just have to face it, this time we're through.

D   F#m   G   A   D   G A
    Breakin' up is never easy, I know but I have to go.

D   Gmaj7
Knowing me, knowing you,

A   D   Bm
It's the best I can do.

| F#m | G   A | D Bm | F#m | G   A ‖

Verse 2

D   Em7   Bm7   F#m7
Mem'ries, good days, bad days,

D   Em7 Bm7 F#m7
They'll be with me always.

Bm
In these old familiar rooms

            Asus4 A Asus2 A | Asus4 A Asus2 A |
Children would play.

G
Now there's only emptiness,

          Bsus2 Bm
Nothing to say. ‾‾‾‾‾‾‾‾

Chorus 2

          G   A
Knowing me, knowing you,

                  D
There is nothing we can do.

          G   A
Knowing me, knowing you,

                       D G   A
We just have to face it, this time we're through.

D   F#m   G   A   D G A
  Breakin' up is never easy, I know but I have to go.

          D   Gmaj7
Knowing me, knowing you,

        A   D   Bm
It's the best I can do.

| F#m | G | A | D Bm | F#m | G | A |

| Asus4 Bm | Bm | A Bm ||

Chorus 3

          G   A
Knowing me, knowing you,

                  D
There is nothing we can do.

          G   A
Knowing me, knowing you,

                       D G A
We just have to face it, this time we're through.

D   F#m   G   A   D G A
  Breakin' up is never easy, I know but I have to go.

          D   Gmaj7
Knowing me, knowing you,

        A   D   Bm
It's the best I can do.

Repeat to fade

| F#m | G | A   ‖: D Bm | F#m | G | A   :‖

GIRL FROM MARS

Words & Music by Tim Wheeler

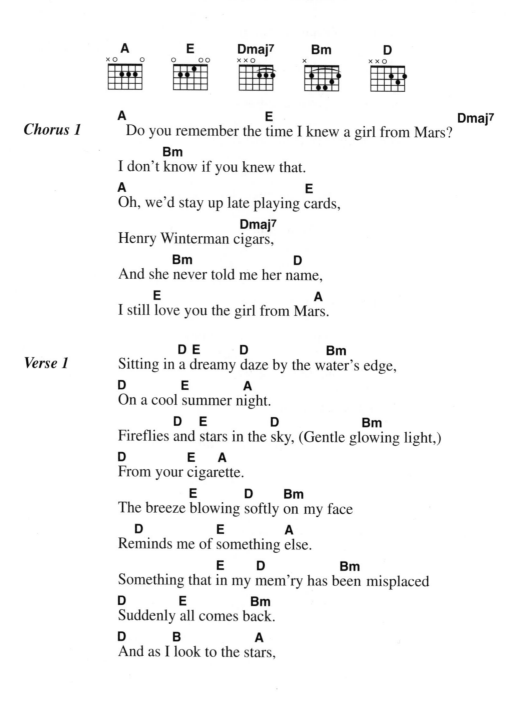

A   **E**   **Dmaj7**   **Bm**   **D**

Chorus 1

A   E   Dmaj7
Do you remember the time I knew a girl from Mars?

    Bm
I don't know if you knew that.

A   E
Oh, we'd stay up late playing cards,

         Dmaj7
Henry Winterman cigars,

      Bm   D
And she never told me her name,

    E   A
I still love you the girl from Mars.

Verse 1

      D E   D   Bm
Sitting in a dreamy daze by the water's edge,

D   E   A
On a cool summer night.

      D   E   D   Bm
Fireflies and stars in the sky, (Gentle glowing light,)

D   E   A
From your cigarette.

         E   D   Bm
The breeze blowing softly on my face

    D   E   A
Reminds me of something else.

         E   D   Bm
Something that in my mem'ry has been misplaced

D   E   Bm
Suddenly all comes back.

D   B   A
And as I look to the stars,

Chorus 2

                    E   D
I remember the time I knew a girl from Mars

      Bm
I don't know if you knew that.

A   E
Oh, we'd stay up late playing cards,

                  D
Henry Winterman cigars,

      Bm   D
And she never told me her name,

     E   A
I still love you the girl from Mars.

Verse 2

                    D E   D   Bm
Surging through the darkness (over the moon-lit strand),

     D   E   A
Electricity in the air.

             D E   D   Bm
Twisting all__ through the night on the terrace

D   E   A
Now that summer is here.

          D E   D   Bm
I know that you are almost in love with me

          D   E   A
I can see it in your eyes.

                  E   D   Bm
Strange lights shimmering under the sea tonight,

          D   E   Bm
And it almost blows my mind.

D   E   A
And as I look to the stars,

Chorus 3   As Chorus 2

Solo   𝄆 **A   D** │ **E**   │ **D   Bm** │ **Bm**   𝄇 *Play 4 times*

          A   **E**   **Dmaj⁷**   **Bm**

Verse 3   Today I sleep in the chair by the window,

          D   **E**   **A**

It felt as if you'd returned

                E   **Dmaj⁷** **Bm**

I thought that you were standing over me,

         D   **E**   **Bm**

When I woke there was no-one there.

            D   **E**   **A**

I still love you girl__ from Mars,

        (A)   **E**   **D**

Chorus 4   Do you remember the time I knew a girl from Mars?

           Bm

I don't know if you knew that.

        A   **E**

Oh, we'd stay up late playing cards,

                    D

Henry Winterman cigars,

          Bm   **A**

And she never told me her name.

        (A)   **E**   **D**

Chorus 5   Do you remember the time I knew a girl from Mars?

           Bm

I don't know if you knew that.

        A   **E**

Oh, we'd stay up late playing cards,

                    D

Henry Winterman cigars,

          Bm   **D**

And I'll still dream of you,

          E   **A**

I still love you girl from Mars.

A LITTLE TIME

Words & Music by Paul Heaton & Dave Rotheray

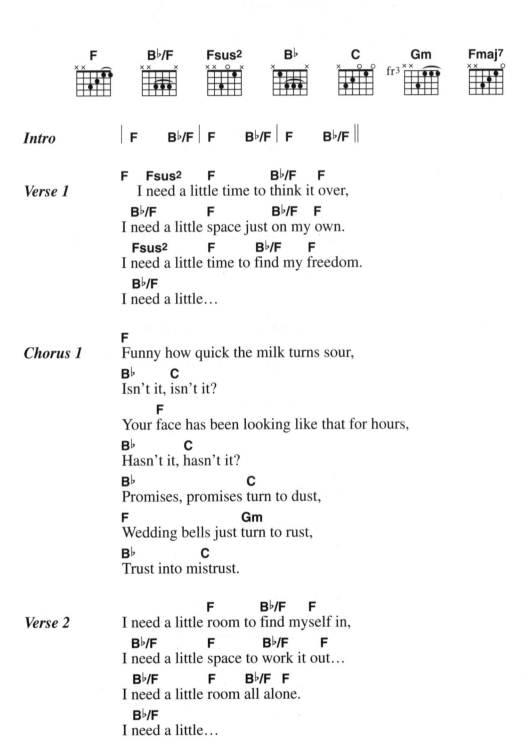

Intro

‖ F   B♭/F   F   B♭/F ‖ F   B♭/F ‖

Verse 1

F   Fsus2   F   B♭/F   F
I need a little time to think it over,

B♭/F   F   B♭/F   F
I need a little space just on my own.

Fsus2   F   B♭/F   F
I need a little time to find my freedom.

B♭/F
I need a little…

Chorus 1

F
Funny how quick the milk turns sour,

B♭   C
Isn't it, isn't it?

F
Your face has been looking like that for hours,

B♭   C
Hasn't it, hasn't it?

B♭   C
Promises, promises turn to dust,

F   Gm
Wedding bells just turn to rust,

B♭   C
Trust into mistrust.

Verse 2

F   B♭/F   F
I need a little room to find myself in,

B♭/F   F   B♭/F   F
I need a little space to work it out…

B♭/F   F   B♭/F F
I need a little room all alone.

B♭/F
I need a little…

Chorus 2

F
You need a little room for your big head,

B♭　　　C
Don't you, don't you?

F
You need a little space for a thousand beds,

B♭　　　　C
Won't you, won't you?

B♭　　　　　　　C
Lips that promise, fear the worst,

F　　　　　　　　　　Gm
Tongue so sharp, the bubble burst,

B♭　　　C
Just into un - just.

Instrumental | Fmaj⁷ B♭/F | Fmaj⁷ B♭/F | Fmaj⁷ B♭/F | Fmaj⁷ B♭/F |

| Fmaj⁷ B♭/F | Fmaj⁷ B♭/F | Fmaj⁷ B♭/F ‖

Verse 3

Fma⁷ B♭/F　　　F　　　B♭/F　　F
　I've had a little time to find the truth.

　　　　B♭/F　　　F　　　B♭/F　　　　　　F
Now I've had a little room to check what's wrong.

　　　B♭/F　　　　F　　　　　　B♭/F　F
I've had a little time and I still　love you.

　　　B♭/F
I've had a little…

Chorus 3

F
You had a little time and you had a little fun,

B♭　　　　C
Didn't you, didn't you?

F
While you had yours do you think I had none,

B♭　　C
Do you, do you?

　　　B♭　　　　　　C
The freedom that you wanted bad

　F　　　　　　　　Gm
Is yours for good, I hope you're glad.

B♭　　　C
Sad into un - sad.

Verse 4

Fmaj⁷

I had a little time

Fsus² Fmaj⁷

To think it ___ over.

Fsus² Fmaj⁷

Had a little room

Fsus² Fmaj⁷

To work it out.

Fsus² F

I found a little courage

Fsus² Fmaj⁷

To call it off.

Outro

Fmaj⁷

  I've had a little time,

I've had a little time,

I've had a little time,

F

I've had a little time.

SUBSTITUTE

Words & Music by Pete Townshend

D*   **D**   **A***   **G***   **G**   **Em**   **A**   **Asus4**

Intro

| D*   D   A* | G*   D | D*   D   A* | G*   D |

| D | D | D | D ||

Verse 1

D   G   D
You think we look pretty good together,

D   G   D
You think my shoes are made of leather,

Pre-chorus 1

          Em
But I'm a substitute for another guy,

I look pretty tall but my heels are high.

The simple things you see are all complicated.

                           A   Asus4   A
I look pretty young but I'm just backdated, yeah.

Chorus 1

D*   D   A*   G*   D
(Sub - sti - tute) lies for the fact:

  D* D   A*   G*   D
I see right through your plastic mac.

  D*   D   A*   G*   D
I look all white but my Dad was black.

     D*   D   A*   G*   D
My fine-looking suit is really made out of sack.

Verse 2

D   G   D
I was born with a plastic spoon in my mouth,

D   G   D
North side of my town faced east and the east was facing south.

Em

Pre-chorus 2   And now you dare to look me in the eye

But crocodile tears are what you cry.

If it's a genuine problem you won't try

To work it out at all, just pass it by,

A Asus4 A
Pass it by.

D*   D   A*   G*   **D**
Chorus 2   (Sub - sti - tute) me for him,

D*   D   A*   G*   **D**
(Sub - sti - tute) my Coke for gin.

D*   D   A*   G*   **D**
(Sub - sti - tute) you fooled my Mum,

D* D A*   G*   **D**
At least I'll get my washing done.

Solo   ‖: D | G | D | D   :‖

Pre-chorus 3   As Pre-chorus 1

Link   ‖: D*   D A* | G*   D | D*   D A* | G*   D :‖

Verse 3   As Verse 2

Pre-chorus 4   As Pre-chorus 2

Chorus 3   As Chorus 2

Chorus 4   As Chorus 1

SWEETEST THING

Words & Music by U2

A	E	D	E/A	Bm	D/A	E7	Amaj7

Capo third fret

Intro

‖ A   E D | A   E D | A   E D | A   E D | A   E D ‖

Verse 1

```
    A              E/A       D        A
    My love she throws me like a rubber ball,
    E/A D
Oh the sweetest thing.
    A              E/A       D       A
    But she won't catch me or break my fall,
    E/A D
Oh the sweetest thing.
    A           E/A       D   A
    Baby's got blue skies  up ahead,
            E/A   D
But in this I'm a rain cloud.
    A                     E/A D      A
    You know she wants a dry   kind of love,
    E/A D
Oh the sweetest thing.
Bm   D/A    E7
    I'm losin' you.
Bm   A      E7
    I'm losin' you.
```

Verse 2

```
    A         E/A       D       A
I wanted to run but she made me crawl,
    E/A D
Oh the sweetest thing.
    A      E/A   D        A
    Eternal fire she turned me to straw,
    E/A D
Oh the sweetest thing.
```

cont.

A   E/A D
I know I got black eyes,

         A   E/A   D
But they burn so brightly for her.

A   E/A D   A
I guess it's a blind kind of love.

    E/A D
Oh the sweetest thing.

Bm   D/A E7
I'm losin' you, whoa,

Bm D/A   E7
I'm   losin' you.

                D
Ain't love the sweetest thing?

Ain't love the sweetest thing?

Instrumental ‖: A   E D | A   E D | A   E D :‖

Verse 3

A   E/A D   A
Blue eyed boy to brown eyed girl,

    E/A D
Oh the sweetest thing.

A   E/A   D   A
You can set it up, but you still see the tear,

    E/A D
Oh the sweetest thing.

A   E/A   D A
Baby's got blue skies up ahead,

       E/A   D
But in this I'm a rain cloud,

A   E/A   D   A
Ours is a stormy kind of love,

    E/A D
Oh the sweetest thing.

Outro

‖: Amaj7   D
Do do do do, do do do do,

Amaj7   D
Do, do do do do do do do.   :‖

Amaj7   D
Do do do do, do the sweetest thing.

Amaj7   D   A
Do do do do, do the sweetest thing.

ROMEO AND JULIET

Words & Music by Mark Knopfler

C   Fmaj7   G   Am   F   Dm

Capo fifth fret

Intro

‖: C | Fmaj7 G | C | Fmaj7 G :‖

Verse 1

C   Am   G
A lovestruck Romeo   sings a streetsuss serenade,
C   Am   F
Laying everybody low   with a lovesong that he made.
G   F G   C
Finds a streetlight,   steps out of the shade,
                   F   G
Says something like   "You and me babe, how about it?"

Verse 2

C   Am   G
Juliet says, "Hey it's Romeo,   you nearly gimme a heart attack"
C
He's underneath the window, she's singing
Am   F
"Hey la, my boyfriend's back,
G   F G   C
You shouldn't come around here,   singing up at people like that."
F   G
"Anyway what you going to do about it?"

Chorus 1

      C G   Am   F
Juliet,   the dice was loaded from the start
      C G   Am   F
And I bet,   and you exploded into my heart,
      G   C   F Am   F
And I for - get, I forget   the movie song.
Dm   C   F   G   Am G
When you gonna realise it was just that the time was wrong,

Link

| C | Fmaj7 G | C | Fmaj7 G ‖
Juliet.

Verse 3

    C   Am   G
Come up on different streets,   they both were streets of shame,

C   Am   F
Both dirty, both mean,   yes and the dream was just the same.

G   F   G   C
And I dreamed your dream for you and now your dream is real.

F   G
How can you look at me as if I was just another one of your deals?

Verse 4

                    C   G
When you can fall for chains of silver,

Am   G
You can fall for chains of gold,

C   Am   F   G
You can fall for pretty strangers   and the promises they hold.

                                    F G   C
You promised me everything,   you promised me thick and thin,

F
Now you just say, "Oh Romeo, yeah, you know,

 G
I used to have a scene with him."

Chorus 2

          C G   Am   F
Juliet,   when we made love you used to cry.

              C   G   Am   F
You said "I love you like the stars above, I'll love you till I die."

G   C   F   Am   F
There's a place for us,   you know the movie song,

Dm   C   F   G   Am   G
When you gonna realise it was just that the time was wrong,

Juli-(et.)

Link

| C | Fmaj⁷ G | C | Fmaj⁷ G   ‖

-et

Verse 5

          C   Am   G
I can't do the talk   like they talk on TV,

          C   Am   F
And I can't do a love song   like the way it's meant to be,

G   F   G   C
I can't do everything but I'd do anything for you,

F   G
I can't do anything except be in love with you.

Verse 6

```
           C                    Am                      G
           And all I do is miss you    and the way we used to be,
           C                    Am              F
           All I do is keep the beat    and bad company,
           G                    F
           All I do is kiss you
           G                          C
           Through the bars of a rhyme.
           F                          G
           Julie, I'd do the stars with you   any time.
```

Chorus 3

```
              C   G            Am              F
           Juliet,   when we made love you used to cry.
                    C              G            Am          F
           You said "I love you like the stars above, I'll love you till I die."
           G        C    G  F  Am              F
           There's a place for us,    you know the movie song,
           Dm                          C      F             G   Am    G
              When you gonna realise it was just that the time was wrong,

           Ju(-u-u-liet.)
```

Link

```
           │ C      │ Fmaj⁷  G │ C      │ Fmaj⁷  G  │
           -u-u-liet.

           │ C      │ Fmaj⁷  G │ C      │ Fmaj⁷  G  ‖
```

Verse 7

```
           C                    Am                      G
           And a lovestruck Romeo    sings a streetsuss serenade,
           C                    Am              F
           Laying everybody low    with a lovesong that he made.
           G                          F
           Finds a convenient streetlight,
           G              C
           Steps out of the shade,
                          F                    G
           Says something like  "You and me babe,    how about it?"
```

Coda

```
           ‖: Fmaj⁷   │ G      │ Fmaj⁷   │ G        :‖  Repeat ad lib. to fade
```

TONIGHT TONIGHT

Words & Music by Billy Corgan

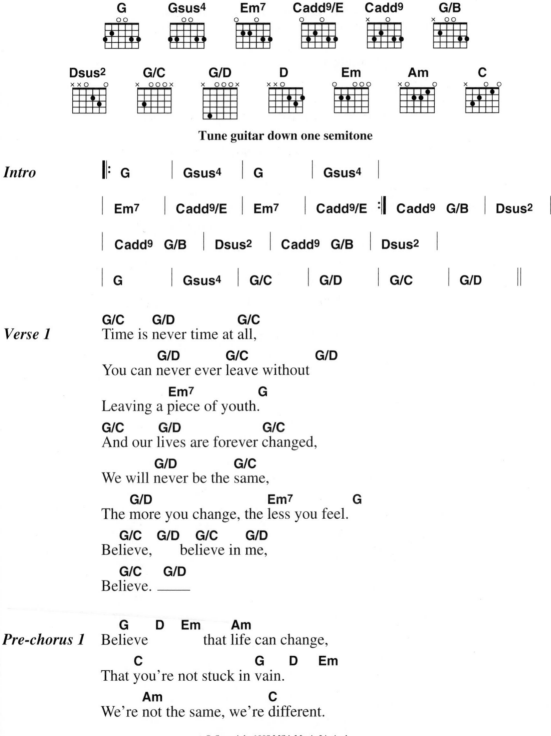

G   Gsus⁴   Em⁷   Cadd⁹/E   Cadd⁹   G/B

Dsus²   G/C   G/D   D   Em   Am   C

Tune guitar down one semitone

Intro ‖: G | Gsus⁴ | G | Gsus⁴ |

| Em⁷ | Cadd⁹/E | Em⁷ | Cadd⁹/E :‖ Cadd⁹ G/B | Dsus² |

| Cadd⁹ G/B | Dsus² | Cadd⁹ G/B | Dsus² |

| G | Gsus⁴ | G/C | G/D | G/C | G/D | ‖

Verse 1

```
G/C    G/D         G/C
Time is never time at all,
            G/D     G/C      G/D
You can never ever leave without
            Em⁷          G
Leaving a piece of youth.
G/C    G/D          G/C
And our lives are forever changed,
         G/D          G/C
We will never be the same,
      G/D                Em⁷        G
The more you change, the less you feel.
     G/C  G/D  G/C   G/D
Believe,    believe in me,
     G/C   G/D
Believe. _____
```

Pre-chorus 1

```
       G   D  Em    Am
Believe        that life can change,
           C                G   D   Em
That you're not stuck in vain.
         Am                  C
We're not the same, we're different.
```

Chorus 1

           Cadd⁹ G/B Dsus²   Cadd⁹ G/B Dsus²
To - ni - - - - - - - - - - - - i - - - - - ight,

           Cadd⁹ G/B Dsus²
Tonight,

    Em   Am
Tonight so bright,

           Cadd⁹ G/B Dsus²   Cadd⁹ G/B Dsus²
To - ni - - - - - - - - - - - - i - - - - - ight,

To - (night.)

Link

| **G** | | **Gsus⁴** | **G** | | **Gsus⁴** |
- night.
| **Em⁷** | **Em⁷aug** | **Em⁷** | **Em⁷aug** ‖

Verse 2

G   **Gsus⁴**   **G**
Though you know you're never sure

        Gsus⁴   **Em⁷**
But you're sure you could be right,

    Em⁷aug   **Em⁷**   **Em⁷aug**
If you held yourself up to the light.

G   **Gsus⁴**   **G**
And the embers never fade,

    Gsus⁴   **Em⁷**
In your city by the lake

    Em⁷aug   **Em⁷**   **Em⁷aug**
The place where you were born.

Pre-chorus 2

    G/C G/D G/C   G/D
Believe,   believe in me,

    G/C G/D
Believe, _____

    G   D Em Am   **C**   **G**   **D Em**
Believe   in the resolute, the urgency of now,

      Am
And if you believe,

      C
There's not a chance.

Chorus 2

        Cadd⁹ G/B Dsus²   **Cadd⁹ G/B Dsus²**
To - ni - - - - - - - - - - - - - i - - - - - ight,

        Cadd⁹ G/B Dsus²
To - ni - - - - - - - - - - - ght,

  Em   **Am**
Tonight so bright,

        Cadd⁹ G/B Dsus²
To - ni - - - - - - - - - - - ght,

  G   **D Em**
Tonight.

Coda

     Am   **C**   **G**   **D Em**
We'll crucify the insincere tonight, (to - night)

     Am   **C**   **G**   **D Em**
We'll make things right, we'll feel it all tonight, (to - night)

     Am   **C**   **G**   **D Em**
We'll find a way to offer up the night, (to - night)

     Am   **C**   **G** **D Em**
The indescribable moments of your life, (to - night)

     Am   **C**   **G**   **D Em**
The impossible is possible tonight, (to - night)

             C
Believe in me as I believe in you.

  G/C   **G/D**
Tonight,

  G/C   **G/D**
Tonight, tonight,

  G/C   **G/D**
Tonight,

  G   **D**   **Em**
Tonight.

TORN

Words & Music by Anne Preven, Scott Cutler & Phil Thornalley

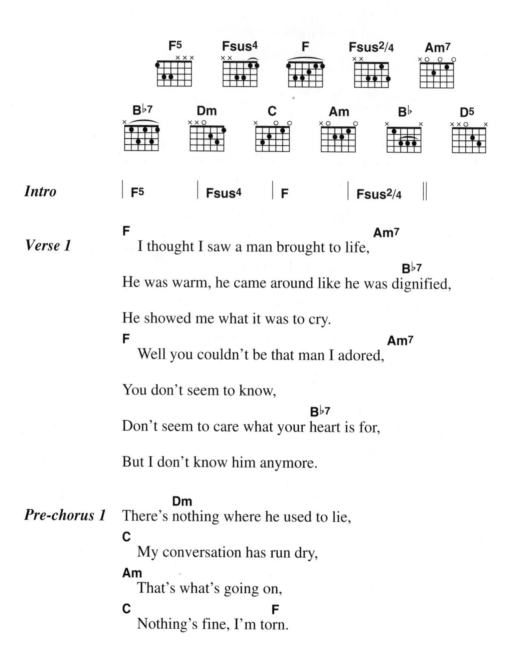

Intro | F5 | Fsus⁴ | F | Fsus²/⁴ ||

Verse 1

     F   **Am⁷**
I thought I saw a man brought to life,

                                          B♭⁷
He was warm, he came around like he was dignified,

He showed me what it was to cry.

F   **Am⁷**
   Well you couldn't be that man I adored,

You don't seem to know,

                           B♭⁷
Don't seem to care what your heart is for,

But I don't know him anymore.

Pre-chorus 1

           Dm
There's nothing where he used to lie,

C
  My conversation has run dry,

Am
  That's what's going on,

C   **F**
  Nothing's fine, I'm torn.

Chorus 1
                C
I'm all out of faith,

              Dm
This is how I feel,

                  B♭
I'm cold and I am shamed

                F
Lying naked on the floor.

                C   **Dm**
Illusion never changed into something real,

             B♭   **F**
Wide awake and I _ can see the perfect sky is torn,

              C
You're a little late,

              Dm
I'm already torn.

        F   **Am⁷**
Verse 2   So I guess the fortune teller's right.

I should have seen just what was there
              B♭7
And not some holy light,

But you crawled beneath my veins.

              Dm
Pre-chorus 2   And now I don't care, I had no luck,
C
  I don't miss it all that much,
Am
  There's just so many things
C   **F**
  That I can search, I'm torn.

Chorus 2   As Chorus 1

Dm   **B♭**
Torn
D5   **F**   **C**
Oo, oo, oo. _____

Pre-chorus 3

Dm
There's nothing where he used to lie,

C
   My inspiration has run dry,

Am
  That's what's going on,

C   F
  Nothing's right, I'm torn.

Chorus 3

                  C
I'm all out of faith,

         Dm
This is how I feel,

               B♭
I'm cold and I am shamed,

             F
Lying naked on the floor.

          C   Dm
Illusion never changed into something real,

       B♭   F
Wide awake and I _ can see the perfect sky is torn.

Chorus 4

                  C
I'm all out of faith,

         Dm
This is how I feel,

              B♭
I'm cold and I'm ashamed,

                F
Bound and broken on the floor.

            C
You're a little late,

         Dm   B♭
I'm already torn…

Dm   C
Torn…

Repeat Chorus ad lib. to fade

TOWN CALLED MALICE

Words & Music by Paul Weller

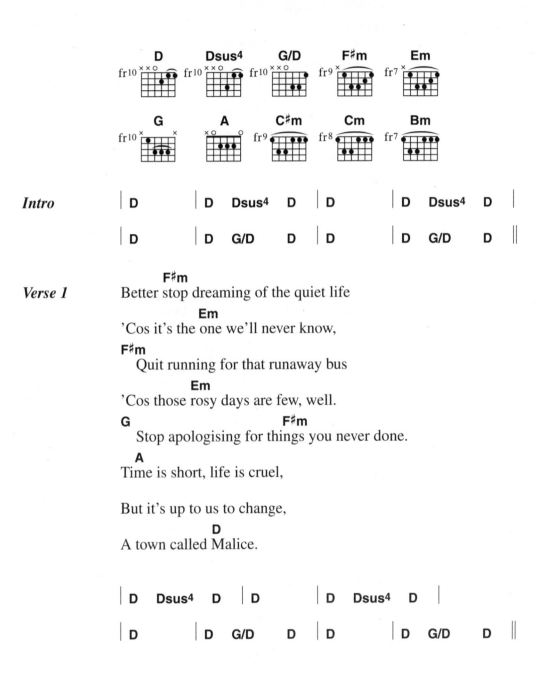

Intro

| D | | D Dsus⁴ D | D | | D Dsus⁴ D |

| D | | D G/D D | D | | D G/D D |

Verse 1

      F♯m
Better stop dreaming of the quiet life

        Em
'Cos it's the one we'll never know,

F♯m
  Quit running for that runaway bus

        Em
'Cos those rosy days are few, well.

G   **F♯m**
  Stop apologising for things you never done.

  A
Time is short, life is cruel,

But it's up to us to change,

        D
A town called Malice.

| D Dsus⁴ D | D | | D Dsus⁴ D |

| D | | D G/D D | D | | D G/D D |

Verse 2

F#m
Rows and rows of disused milk floats

    Em
Stand dying in the dairy yard.

    F#m
And a hundred lonely housewives

      Em
Clutch empty milk bottles to their hearts.

G
  Hanging out their old love letters

F#m
On the line to dry.

   A
It's enough to make you stop believing

But tears come fast and furious,

      D
In a town called Malice.

| D | Dsus4 | D | D | | D | Dsus4 | D | |
| D | | D | G/D | D | D | | D | G/D | D ||

Verse 3

F#m
Ba ba ba ba ba da ba,

Em
Ba ba ba da ba, woah!

F#m
  Ba ba ba ba ba da ba,

Em
Ba ba ba da ba.

G
  Struggle after struggle,

F#m
  Year after year.

   A
The atmosphere's a fine blend of ice,

I'm almost stone cold dead,

      D   Dsus4 D
A town called Malice,   oo, __ oo, yeah.

| D | Dsus4 | D | D | |
| D | G/D | D | D | | D | G/D | D ||

Middle

C#m
A whole street's belief

Cm Bm
In   Sunday's roast beef

Cm C#m   Cm Bm
Gets dashed against the   Co-op.

              A
To either cut down on beer

Or the kids new gear,

                                                    D
It's a big decision in a town called Malice.

Dsus⁴   D | D   Dsus⁴   D |
     Oo, __ oo, yeah.

‖: (D) | (D) | (D)   :‖
Finger clicks

Ooh, __ oo.

Verse 4

F#m
   The ghost of a steam train

Em
Echoes down my track.

F#m
   It's at the moment bound for nowhere,

Em
Just going round and round.

G
   Playground kids and creaking swings,

F#m
   Lost laughter in the breeze.

A
I could go on for hours

And I probably will,

But I'd sooner put some joy back

                        D   Dsus⁴ D   Dsus⁴ D
In this town called Malice,   yeah.

        Dsus⁴ D   Dsus⁴   D
‖: Ooh, _____   :‖   *Repeat to fade*

THE UNIVERSAL

Words & Music by Damon Albarn, Graham Coxon, Alex James & David Rowntree

A   C#m   E   Bm   D   D/C#

(chord diagrams)

Intro ‖: A C#m | A C#m :‖ *Play 3 times*

Verse 1

       A   C#m A
This is the next century

C#m   A   C#m A
Where the universal's free,

C#m   E   Bm
You can find it anywhere,

E   Bm
Yes the future's been sold.

A   C#m A
Every night we're gone,

C#m   A   C#m   A
And to karaoke songs

C#m   E   Bm
How we like to sing along,

E
'Though the words are wrong.

Chorus 1

      A   D
It really, really, really could happen,

      A   D
Yes it really, really, really could happen.

         C#m
When the days they seem to fall through you,

     D   D/C#   Bm E
Well just let them go.

Instrumental ‖: A C#m | A C#m :‖

Verse 2

       A   **C♯m** **A**
No one here is alone,

C♯m A   **C♯m** **A**
Satellites in every home,

C♯m   **E**   **Bm**
Yes the universal's here,

E
Here for everyone.

| **A** | **C♯m** | **A** | **C♯m** |

       A   **C♯m** **A**
Every paper that you read

C♯m   **E**   **Bm**
Says tomorrow's your lucky day,

E
Well here's your lucky day.

Chorus 2   As Chorus 1

Chorus 3   As Chorus 1

Instrumental ‖: **A** | **D** | **A** | **D** |

                | **C♯m** | **D** **D/C♯** | **Bm** | **E** :‖

Coda | **E** | **E** | **A** ‖

WAITING IN VAIN

Words & Music by Bob Marley

A♭maj7 D♭maj7 D♭ E♭ Cm7 B♭m7

Intro | A♭maj7 | D♭maj7 | A♭maj7 | D♭maj7 ||

Chorus 1

A♭maj7   D♭maj7
I don't wanna wait in vain for your love;
A♭maj7   D♭maj7
I don't wanna wait in vain for your love.

Verse 1

A♭maj7   D♭maj7
  From the very first time I rest my eyes on you, girl,
A♭maj7   D♭maj7
  My heart says follow through.
A♭maj7   D♭maj7
  But I know, now, that I'm way down on your line,
A♭maj7   D♭maj7
  But the waitin' feel is fine:
A♭maj7   D♭maj7
  So don't treat me like a puppet on a string,
A♭maj7   D♭maj7
  'Cause I know I have to do my thing.
A♭maj7   D♭maj7
  Don't talk to me as if you think I'm dumb;
A♭maj7   D♭maj7
  I wanna know when you're gonna come.

Chorus 2

A♭maj7   D♭maj7
See, I don't wanna wait in vain for your love;
A♭maj7   D♭maj7
I don't wanna wait in vain for your love;
A♭maj7   D♭maj7
I don't wanna wait in vain for your love,

Bridge

     D♭   **E♭**
'Cause if summer is here,

Cm⁷   **B♭m⁷**
I'm still waiting there;

D♭   **E♭**
  Winter is here,

     Cm⁷   **B♭m⁷**
And I'm still waiting there.

Solo

| **A♭maj⁷** | **D♭maj⁷** | **A♭maj⁷** | **D♭maj⁷** |

| **A♭maj⁷** | **D♭maj⁷** | **A♭maj⁷** | **D♭maj⁷** ‖

                                       Like I said:

Verse 2

A♭maj⁷   **D♭maj⁷**
  It's been three years since I'm knockin' on your door,

A♭maj⁷   **D♭maj⁷**
  And I still can knock some more:

A♭maj⁷   **D♭maj⁷**
Ooh girl, ooh girl, is it feasible? I wanna know now,

A♭maj⁷   **D♭maj⁷**
  For I to knock some more.

       A♭maj⁷   **D♭maj⁷**
Ya see, in life I know there's lots of grief,

A♭maj⁷   **D♭maj⁷**
  But your love is my relief:

A♭maj⁷   **D♭maj⁷**
Tears in my eyes burn, tears in my eyes burn

       A♭maj⁷   **D♭maj⁷**
While I'm waiting, while I'm waiting for my turn,

See!

Chorus 3

   A♭maj⁷   **D♭maj⁷**
‖: I don't wanna wait in vain for your love;

A♭maj⁷   **D♭maj⁷**
I don't wanna wait in vain for your love, oh! :‖ *Play 4 times*

Coda

   A♭maj⁷
‖: I don't wanna, I don't wanna, I don't wanna, I don't wanna,

D♭maj⁷
I don't wanna wait in vain. :‖ *Play 4 times*

      A♭maj⁷
‖: It's your love that I'm waiting on,

    D♭maj⁷
It's my love that you're running from. :‖ *Repeat to fade*

YOU OUGHTA KNOW

Words by Alanis Morissette ▪ Music by Alanis Morissette & Glen Ballard

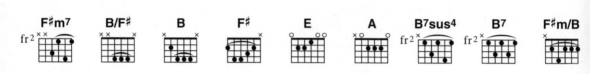

Verse 1

N.C. (F♯m7)
I want you to know that I'm happy for you,

I wish nothing but the best for you both.

F♯m7
An older version of me,

Is she perverted like me?

B/F♯
Would she go down on you in a theatre?

F♯m7
Does she speak eloquently,

And would she have your baby?

B/F♯
I'm sure she'd make a really excellent mother.

Pre-chorus 1

F♯m7
'Cause the love that you gave, that we made

B
Wasn't able to make it enough for you to be open wide, no.

F♯m7
And every time you speak her name,

Does she know how you told me you'd hold me

B
Until you died, 'til you died?

But you're still alive.

Chorus 1

        F♯   **E**
And I'm here to remind you

       A   **B**
Of the mess you left when you went away.

       F♯   **E**
It's not fair to deny me

       A   **B**
Of the cross I bear that you gave to me.

          N.C.
You, you, you oughta know.

Verse 2

F♯m7   **B/F♯**
You seem very well, things look peaceful,

F♯m7   **B/F♯**
I'm not quite as well, I thought you should know.

        F♯m7
Did you forget about me Mister Duplicity?

    B/F♯
I hate to bug you in the middle of dinner.

        F♯m7
It was a slap in the face how quickly I was replaced

         B/F♯
And are you thinking of me when you fuck her?

Pre-chorus 2   As Pre-chorus 1

Chorus 2   As Chorus 1

Interlude   ‖: **B7sus4** | **B7sus4** | **B7** | **B7** :‖ **F♯m/B** | **F♯m/B** |

       | **B** | **B** | **B7** | **B7** | **F♯m/B** | **F♯m/B** ‖

Pre-chorus 3

        F♯m7
'Cause the joke that you laid in the bed that was me

And I'm not gonna fade

        B
As soon as you close you eyes, and you know it.

    F♯m7
And every time I scratch my nails down someone else's back

    B
I hope you feel it, well can you feel it.

Chorus 3   ‖: As Chorus 1 :‖

THE BEST GUITAR CHORD SONGBOOK EVER!

BEAT SURRENDER

Words & Music by Paul Weller

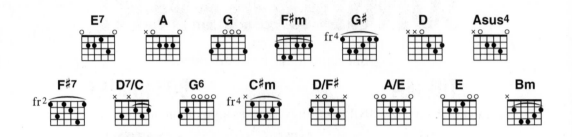

Intro

    E7
    Beat surrender…

Chorus 1

  A   G
  Come on boy,   come on girl,

F#m   G#
Succumb to the beat surrender.

  A   G
  Come on boy,   come on girl,

F#m   G#
Succumb to the beat surrender.

Verse 1

  D   F#m   G
  All the things   that I care about

             Asus4   A
Are packed into one punch.

  D   F#m   G
  All the things that I'm not sure about

          F#7
Are sorted out at once.

Pre-chorus 1

  D   D7/C
  And as it was in the beginning

G   F#m
  So shall it be in the end.

   G6   F#m
That bullshit is bullshit,

       D
It just goes by different names.

Chorus 2

     A   **G**
     Come on boy, come on girl,

F♯m   **G♯**
     Succumb to the beat surrender.

     A   **G**
     Come on boy, come on girl,

F♯m   **G♯**
     Succumb to the beat surrender.

Verse 2

     D   **F♯m**   **G**
     All the things   that I shout about

           Asus4 A
But never act   upon.

     D   **F♯m**   **G**
     All the courage of the dreams I have,

            F♯m
They seem to wait so long.

Pre-chorus 2

     D   **D7/C**
  My doubt is cast aside,

G   **F♯m**
     Watch phonies run to hide.

G6   **F♯m**   **D**
     The dignified don't even enter in the game.

Chorus 3   As Chorus 2

Middle

        C♯m
If you feel there's no passion,

     A
No quality sensation,

        C♯m
Seize that young determination,

       A
Show the fakers you ain't fooling.

       C♯m
You'll see me come running

     A
To the sound of your strumming.

       C♯m
Fill my heart with joy and gladness,

       A   **D/F♯ A/E**
I've lived too long in the shadows of sad - ness.

Instrumental | D | F♯m | G | Asus4   A |

                 | D | F♯m | G | F♯7 ||

Pre-chorus 3
D   D7/C
My doubt is cast aside,

G   F♯m
Watch phonies run to hide.

G6   F♯m   D
The dignified don't even enter in the game.

Chorus 4
A   G
Come on boy,   come on girl,

F♯m   E
Succumb to the beat surrender.

A   G
Come on boy,   come on girl,

F♯m   E
Succumb to the beat surrender.

Chorus 5   As Chorus 4

Outro
  ||:   A   Bm
      Come on boy,   come on girl,

D   E
Succumb to the beat surrender.

A   Bm
Come on boy,   come on girl,

D   E
Succumb to the beat surrender.   :|| *Repeat to fade*

COMMON PEOPLE

Words by Jarvis Cocker ▪ Music by Pulp

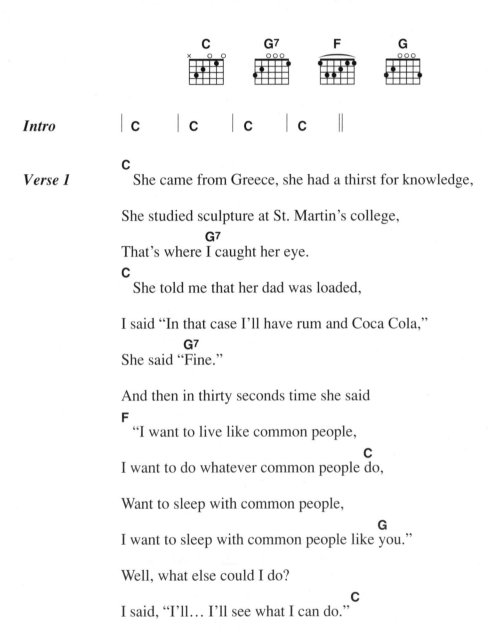

Intro | C | C | C | C ‖

Verse 1

C
She came from Greece, she had a thirst for knowledge,

She studied sculpture at St. Martin's college,

G7
That's where I caught her eye.

C
She told me that her dad was loaded,

I said "In that case I'll have rum and Coca Cola,"

G7
She said "Fine."

And then in thirty seconds time she said

F
"I want to live like common people,

                       C
I want to do whatever common people do,

Want to sleep with common people,

                           G
I want to sleep with common people like you."

Well, what else could I do?

                      C
I said, "I'll… I'll see what I can do."

Verse 2

    (C)
I took her to a supermarket,

                                     G
I don't know why but I had to start it somewhere, so it started there.

    C
   I said "Pretend you've got no money,"

                                   G
She just laughed and said "Oh, you're so funny," I said "Yeah?

Well I can't see anyone else smiling in here,

               F
Are you sure you want to live like common people,

                           C
You want to see whatever common people see,

You want to sleep with common people,

                    G
You want to sleep with common people like me?"

                               C
But she didn't understand, she just smiled and held my hand.

Verse 3

Rent a flat above a shop, cut your hair and get a job,

    G7
Smoke some fags and play some pool, pretend you never went to school,

      C
But still you'll never get it right 'cause when you're laid in bed at night

    G7
Watching 'roaches climb the wall,

If you called your dad he could stop it all, yeah.

F
   You'll never live like common people,

                           C
You'll never do whatever common people do.

You'll never fail like common people,

                       G
You'll never watch your life slide out of view,

And then dance and drink and screw

                   C
Because there's nothing else to do.

Instrumental ‖: C | C | C | C | G | G | G | G   :‖

Verse 4

    F

     Sing along with the common people,

                               C

Sing along and it might just get you through.

Laugh along with the common people,

                               G

Laugh along even though they're laughing at you,

And the stupid things that you do,

                        C

Because you think that poor is cool.

Verse 5   Like a dog lying in the corner,

They will bite you and never warn you,

G7

Look out, they'll tear your insides out,

C

  'Cause everybody hates a tourist,

                          G7

Especially one who thinks it's all such a laugh,

And the chip stains and grease will come out in the bath.

        F

You will never understand how it feels to live your life

       C

With no meaning or control and with nowhere left to go.

       G

You are amazed that they exist,

                        C

And they burn so bright whilst you can only wonder why.

Verse 6   As Verse 3

| C | C | C | C | ‖

(C)

‖: Want to live with common people like you. :‖ *Play 7 times*

‖: Oh, la, la, la, la. :‖   *Play 4 times*

Oh yeah.

A DAY IN THE LIFE

Words & Music by John Lennon & Paul McCartney

G	Bm	Em	Em7	C	C/B	Asus2

F	B5	E	Dsus2	B7sus4	B7	D	A

Intro | G Bm | Em Em7 | C | C ‖

Verse 1

G   Bm   Em Em7
I read the news today, oh boy,

C   C/B   Asus2
About a lucky man who made the grade.

G   Bm   Em Em7
And though the news was rather sad,

C   F   Em Em7
Well, I just had to laugh,

C   F   Em C
I saw the photograph.

Verse 2

G   Bm   Em Em7
He blew his mind out in a car,

C   C/B   Asus2
He didn't notice that the lights had changed.

G   Bm   Em   Em7
A crowd of people stood and stared,

C   F
They'd seen his face before,

Em
Nobody was really sure

Em7   C
If he was from the House of Lords.

Verse 3

```
G        Bm              Em  Em7
  I saw a film today, oh boy,
C           C/B          Asus2
  The English army had just won the war.
G           Bm              Em   Em7
  A crowd of people turned away,
C         F           Em
  But I just had to look,
        Em7     C
Having read the book,
        N.C.(B5)
I'd love to turn you on.
```

Instrumental

```
‖: N.C. | N.C. | N.C. | N.C. | N.C. :‖ E    | E    ‖
```

Middle

```
(E)                                                    Dsus2
Woke up, got out of bed, dragged a comb across my head,
        E              B7sus4
Found my way downstairs and drank a cup
        E          B7sus4        B7
And looking up I noticed I was late. Ha, ha, ha.
        E
Found my coat and grabbed my hat,
               Dsus2
Made the bus in seconds flat,
        E              B7sus4
Found my way upstairs and had a smoke
        E                   B7sus4
And somebody spoke and I went into a dream.
```

Interlude

```
C  G   D A  E   C  G   D A | E D C D ‖
Ah,__  ah,__ ah,__ ah,__ ah. __
```

Verse 4

```
G         Bm              Em  Em7
  I read the news today, oh boy,
C             C/B           Asus2
  Four thousand holes in Blackburn, Lancashire.
G              Bm              Em   Em7
  And though the holes were rather small,
C            F
  They had to count them all;
Em                          Em7                    C
Now they know how many holes it takes to fill the Albert Hall.
        N.C.(B5)
I'd love to turn you on.
```

Instrumental

```
‖: N.C. | N.C. | N.C. | N.C. | N.C. :‖ E    ‖
```

END OF A CENTURY

Words & Music by Damon Albarn, Graham Coxon, Alex James & Dave Rowntree

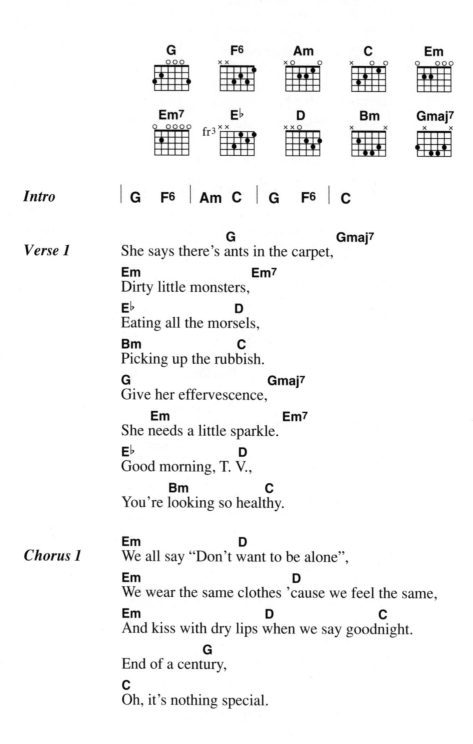

Intro | G F6 | Am C | G F6 | C

Verse 1
```
                    G                 Gmaj7
She says there's ants in the carpet,
Em                   Em7
Dirty little monsters,
E♭                 D
Eating all the morsels,
Bm               C
Picking up the rubbish.
G                         Gmaj7
Give her effervescence,
      Em                 Em7
She needs a little sparkle.
E♭                D
Good morning, T. V.,
          Bm            C
You're looking so healthy.
```

Chorus 1
```
Em               D
We all say "Don't want to be alone",
Em                       D
We wear the same clothes 'cause we feel the same,
Em              D              C
And kiss with dry lips when we say goodnight.
                 G
End of a century,
C
Oh, it's nothing special.
```

Verse 2

G   Gmaj⁷
Sex on the T.V.,

Em   Em⁷
Everybody's at it,

       E♭   D
And the mind gets dirty

      Bm   C
As you get closer to thirty.

     G   Gmaj⁷
He gives her a cuddle,

        Em   Em⁷
They're glowing in a huddle.

E♭   D   Bm
Good night T.V., you're all made up

C
And you're looking like me.

Chorus 2   As Chorus 1

Instrumental

| G | Gmaj⁷ | Em | Em⁷ | |
| E♭ | D | Bm | C | |

G   F⁶ Am C
Can you eat her?

G   F⁶ C
Yes you can.

Chorus 3

   Em   D
‖: We all say "Don't want to be alone",

Em   D
We wear the same clothes 'cause we feel the same,

Em   D   C
And kiss with dry lips when we say goodnight.

               G
End of a century,

C
Oh it's nothing special. :‖

             G
Oh, end of the century,

C   G   Gmaj⁷
Oh, it's nothing special.

| Em Em⁷ | E♭ D | C C D G ‖

AN ENGLISHMAN IN NEW YORK

Words & Music by Sting

Em   A   Bm   D   F♯   G   F♯/A♯

Intro   ‖: Em A | Bm A | Em A | Bm A :‖

Verse 1

Em   A   Bm   A
I don't drink coffee, I take tea   my dear,

Em   A   Bm   A
I like my toast   done on one side.

Em   A   Bm   A
And you can hear   it in my accent when I talk,

         Em   A   Bm   A
I'm an Englishman in New York.

Verse 2

Em   A   Bm   A
You see me walking down Fifth Avenue,

Em   A   Bm   A
A walking cane   by my side.

Em   A   Bm   A
I take it everywhere I walk,

         Em   A   Bm   A
I'm an Englishman in New York.

Chorus 1

Em   A   Bm
Woh, I'm an alien, I'm a legal alien,

         Em   A   Bm
I'm an Englishman in New York.

Em   A   Bm
Woh, I'm an alien, I'm a legal alien,

         Em   A   Bm   A
I'm an Englishman in New York.

Verse 3

Em   A   Bm   A
If manners maketh man as someone said,

Em   A   Bm A
He's the hero of the day.

Em   A   Bm   A
It takes a man to suffer ignorance and smile,

    Em   A   Bm A
Be yourself no matter what they say.

Chorus 2   As Chorus 1

Bridge

D   A
Modesty, propriety, can lead to notoriety

Bm   F♯
But you could end up as the only one.

G   A
Gentleness, sobriety, are rare in this society,

  F♯/A♯   Bm
At night a candle's brighter than the sun.

Instrumetal ‖: Em A | Bm A | Em A | Bm A :‖

Drums | N.C | N.C | N.C | N.C ‖

Verse 4

Em   A   Bm   A
Takes more than combat gear to make a man,

Em   A   Bm A
Takes more than a license for a gun,

Em   A   Bm   A
Confront your enemies, avoid them when you can,

  Em   A   Bm A
A gentleman will walk but never run.

Verse 5

Em   A   Bm   A
If manners maketh man as someone said,

Em   A   Bm A
He's the hero of the day.

Em   A   Bm   A
It takes a man to suffer ignorance and smile,

    Em A   Bm A
‖: Be yourself, no matter what they say. :‖

   Em A Bm   A
‖: I'm an alien, I'm a legal alien,

    Em   A   Bm A
I'm an Englishman in New York. :‖   *Repeat to fade*

159

KILLING ME SOFTLY WITH HIS SONG

Words by Norman [Gimbel] Music by Charles Fox

Em   Am   D   G   A   C   F   E   B7

Chorus 1

(Em)   (Am)
Strumming my pain with his fin - gers,

(D)   (G)
Singing my life with his words,

(Em)   (A)
Killing me softly with his song,

              (D)   (C)
Killing me soft - ly with his song,

              (G)   (C)
Telling my whole life with his words,

              (F)   (E)
Killing me softly with his song.

Link   Drum rhythm for 8 bars

Verse 1

(Am)   (D)
  I heard he sang a good song,

(G)   (C)
  I heard he had a smile,

(Am)   (D)
  And so I came to see him

        (Em)
And listen for a while.

(Am)   (D)
  And there he was, this young boy,

(G)   (B7)
  A stranger to my eyes.

Chorus 2

Em   **Am**
Strumming my pain with his fin - gers,

D   **G**
Singing my life with his words,

Em   **A**
Killing me softly with his song,

                     D   **C**
Killing me soft - ly with his song,

                 G   **C**
Telling my whole life with his words,

             F   **E**
Killing me softly with his song.

Verse 2

(Am)   **(D)**   **(G)**
  I felt all flushed with fever,

             (C)
Embarrassed by the crowd,

(Am)   **(D)**
  I felt he found my letters

      (Em)
And read each one out loud.

(Am)   **(D)**
  I prayed that he would finish,

(G)   **(B7)**
  But he just kept right on…

Chorus 3   As Chorus 2

Middle

Em   **Am**   **D**   **G**
Oh,   oh,

Em   **A**
La la la la la la,

D   **C**   **G**   **C** **F**   **E**
Woh la, woh la,   la.

Chorus 4   ‖: As Chorus 2 :‖   *Repeat to fade with ad lib. vocal*

LIVE FOREVER

Words & Music by Noel Gallagher

G   D   Am7   C   Em7   Fsus2

Verse 1

G   **D**
Maybe I don't really want to know
           Am7
How your garden grows,
C   **D**
I just want to fly.
G   **D**
Lately, did you ever feel the pain
          Am7
In the morning rain
        C   **D**   **Em7**
As it soaks you to the bone.

Chorus 1

                   D
Maybe I just want to fly,
                       Am7
I want to live, I don't want to die,
                C
Maybe I just want to breathe,
D   **Em7**
Maybe I just don't believe.

                     D
Maybe you're the same as me,
                  Am7
We see things they'll never see,
                  Fsus2
You and I are gonna live forever.

Verse 2

G   D
I said maybe really I don't want to know

        Am7
How your garden grows,

C   D
I just want to fly.

G   D
Lately, did you ever feel the pain

       Am7
In the morning rain

      C   D   Em7
As it soaks you to the bone.

Chorus 2

             D
Maybe I will never be

          Am7
All the things I want to be,

            C
But now is not the time to cry,

        D   Em7
Now's the time to find out why

            D
I think you're the same as me,

         Am7
We see things they'll never see,

            Fsus2
You and I are gonna live forever.

Guitar solo   Chords as Verse 1 and Chorus 1

Verse 3   As Verse 1

Chorus 3   As Chorus 1

𝄆 Am7   Fsus2   𝄇
𝄆: Gonna live forever. :𝄇 *Play 6 times*

                   Play 8 times

Guitar solo 𝄆: **Am7** | **Fsus2** :𝄇 **Am7** 𝄇

MESSAGE IN A BOTTLE

Words & Music by Sting

C#sus2 fr4 **Asus2** fr5 **Bsus2** fr2 **F#sus2** fr2 **A** **D** **E** **F#m** **C#m** fr4

Intro
| C#sus2 Asus2 | Bsus2 F#sus2 | C#sus2 Asus2 | Bsus2 F#sus2 ||

Verse 1

C#sus2 Asus2 Bsus2 F#sus2   C#sus2 Asus2 Bsus2 F#sus2
Just a cast-away, an island lost at sea - o,

C#sus2 Asus2   Bsus2 F#sus2 C#sus2 Asus2   Bsus2 F#sus2
Another lonely day,   no-one here but me - o.

C#sus2 A²sus Bsus2 F#sus2   C#sus2 Asus2   Bsus2 F#sus2
More loneliness than any   man could bear,

C#sus2 Asus2   Bsus2 F#sus2 C#sus2 Asus2 Bsus2 F#sus2
Rescue me before I   fall   into despair - o.

Chorus 1

A   D   E
I'll send an S.O.S. to the world,

A   D   E
I'll send an S.O.S. to the world.

F#m   D
I hope that someone gets my,

F#m   D
I hope that someone gets my,

F#m   D
I hope that someone gets my

C#m   A   C#m | A |
Message in a bottle, yeah,

C#m   A   F#m | F#m ||
Message in a bottle, yeah.

Verse 2

C#sus2 Asus2 Bsus2 F#sus2   C#sus2   Asus2 Bsus2 F#sus2
A year has passed since I wrote my note

C#sus2   Asus2   Bsus2   F#sus2   C#sus2 Asus2 Bsus2 F#sus2
But I should have known this right from the start.

C#sus2 Asus2 Bsus2 F#sus2   C#sus2 Asus2 Bsus2 F#sus2
Only hope can keep me together,

C#m2   Asus2   Bsus2   F#sus2 C#sus2 Asus2   Bsus2 F#sus2
Love can mend your life, but love can break your heart.

Chorus 2

    A   D   E
I'll send an S.O.S. to the world,

    A   D   E
I'll send an S.O.S. to the world.

    F♯m   D
I hope that someone gets my,

    F♯m   D
I hope that someone gets my,

    F♯m   D
I hope that someone gets my

‖: C♯m   A   C♯m | A   :‖ *Play 3 times*
Message in a bottle, yeah,

C♯m   A | F♯m | F♯m | F♯m | F♯m
Message in a bottle, yeah. | | | | ‖

Verse 3

C♯sus2 Asus2   Bsus2 F♯sus2 C♯sus2 Asus2   Bsus2 F♯sus2
Walked out this morning,   I don't believe what I saw,

C♯sus2 Asus2 Bsus2 F♯sus2 C♯sus2   Asus2 Bsus2 F♯sus2
A hundred million bottles washed up on the shore.

C♯sus2 Asus2   Bsus2   F♯sus2   C♯sus2 Asus2 Bsus2 F♯sus2
Seems like I'm not alone in being alone,

C♯sus2 Asus2 Bsus2 F♯sus2 C♯sus2 Asus2 Bsus2 F♯sus2
Hundred million cast - aways   looking   for a home.

Chorus 3

    A   D   E
I'll send an S.O.S. to the world,

    A   D   E
I'll send an S.O.S. to the world.

    F♯m   D
I hope that someone gets my,

    F♯m   D
I hope that someone gets my,

    F♯m   D
I hope that someone gets my

‖: C♯m   A   C♯m | A   :‖ *Play 3 times*
Message in a bottle, yeah,

C♯m   A | F♯m | F♯m
Message in a bottle, yeah. | |

Outro

‖: C♯sus2 Asus2 | Bsus2 F♯sus2 | C♯sus2 Asus2 | Bsus2 F♯sus2 :‖

      C♯sus2 Asus2   Bsus2 F♯sus2
‖: I'm sending out an S.O.S.   :‖ *Repeat to fade*

PICK A PART THAT'S NEW

Words by Kelly Jones ▪ Music by Kelly Jones, Richard Jones & Stuart Cable

A   D   E   Asus2   Dsus2   Dm6   Dm

Intro | A | D | A | D |

| A | D | E | E   D ||

Verse 1

Asus2
I've never been here before,

Dsus2
Didn't know where to go,

Never met you before.

Asus2
I've never been to your home,

Dsus2
That smell's not unknown,

E
Footsteps made of stone.

D
Walking feels familiar.

Chorus 1

Asus2   Dsus2
You can do all the things that you'll like to do,

Asus2   Dsus2
All around, underground, pick a part that's new.

Asus2   Dsus2
You can do all the things that you'll like to do,

Asus2   Dsus2   E   D
All around, upside down, pick a part that's new.

Verse 2

Asus²
   People drinking on their own,

          Dsus²
Push buttons on the phone,

Was I here once before?

Asus²
   Is that my voice on the phone?

          Dsus²
That last drink on my own.

        E
Did I ever leave at all?

          D
Confusion's familiar.

Chorus 2   As Chorus 1

Solo

‖: A | A | Dm⁶ Dm | Dm⁶ Dm :‖

| E | E   D ‖

Asus²   **Dsus²**

Chorus 3   You can do all the things that you'll like to do,

Asus²   **Dsus²**
   All around, underground, pick a part that's new.

Asus²   **Dsus²**
   You can do all the things that you'll like to do,

Asus²   **Dsus²**
   All around, upside down, anything that's new.

Asus²   **Dsus²**

Chorus 4   You can do all the things that you'll like to do,

Asus²   **Dsus²**
   All around, underground, pick a part that's new.

Asus²   **Dsus²**
   You can do all the things that you'll like to do,

Asus²   **Dsus²**   **E**
   All around, upside down, pick a part that's new.

        E

Coda   So what's new to you?

So what's new to you?

             D A
What's new to you?

PINBALL WIZARD

Words & Music by Pete Townshend

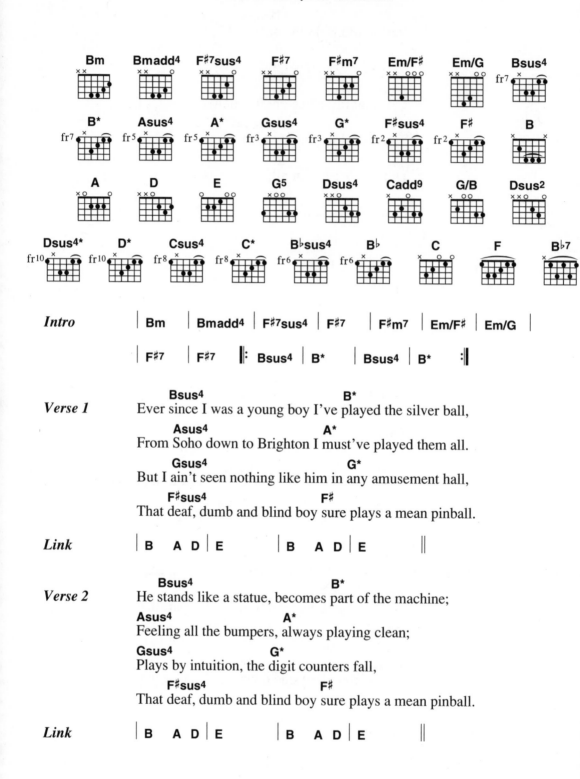

Intro | Bm | Bmadd⁴ | F♯7sus⁴ | F♯7 | F♯m7 | Em/F♯ | Em/G |

| F♯7 | F♯7 ‖: Bsus⁴ | B* | Bsus⁴ | B* :‖

Verse 1

Bsus⁴   B*
Ever since I was a young boy I've played the silver ball,

Asus⁴   A*
From Soho down to Brighton I must've played them all.

Gsus⁴   G*
But I ain't seen nothing like him in any amusement hall,

F♯sus⁴   F♯
That deaf, dumb and blind boy sure plays a mean pinball.

Link | B   A   D | E | B   A   D | E   ‖

Verse 2

Bsus⁴   B*
He stands like a statue, becomes part of the machine;

Asus⁴   A*
Feeling all the bumpers, always playing clean;

Gsus⁴   G*
Plays by intuition, the digit counters fall,

F♯sus⁴   F♯
That deaf, dumb and blind boy sure plays a mean pinball.

Link | B   A   D | E | B   A   D | E   ‖

Bridge 1

       E   **F♯** **B**   **E**   **F♯** **B**
He's a pin - ball wizard, there has to be a twist,

    E   **F♯** **B**   **G5**   **D**   **Dsus4** **D**
A pin - ball wizard's got such a supple wrist.

D   **Cadd9** **G/B** **D**   **Cadd9** **G/B**
How do you think   he   does it? (I don't know)

D   **Cadd9** **G/B** **D**
What makes him   so   good?

Verse 3

Bsus4   **B***
Ain't got no distractions, can't hear no buzzers or bells.

Asus4   **A***
Don't see lights a-flashing, plays by the sense of smell;

Gsus4   **G***
Always gets a 'replay', never tilts at all;

    F♯sus4   **F♯**
That deaf, dumb and blind boy sure plays a mean pinball.

Link | **B**   **A** **D** | **E** | **B**   **A** **D** | **E**   ‖

Bridge 2

    E   **F♯** **B**   **E**   **F♯**   **B**
I thought I   was the bally-table king

     E F♯ **B**   **G5**   **D**   **Dsus4** **D**
But I   just handed my pinball crown to him.

Link   ‖: **Dsus4*** | **D*** | | **Dsus4*** | **D*** :‖

Verse 4

     Dsus4*   **D***
Even at my favourite table he can beat my best,

       Csus4   **C***
His disciples lead him in, and he just does the rest,

       B♭sus4   **B♭**
He's got crazy flipper fingers, never see him fall,

     Asus4   **A***
That deaf, dumb and blind boy sure plays a mean pinball.

Coda | **D**   **C** **F** ‖: **B♭7** | **B♭7** :‖ *Repeat to fade*

NO WOMAN, NO CRY

Words & Music by Bob Marley & Vincent Ford

C	C/B	Am	F	G	Em	Dm	Cadd9

Capo first fret

Intro

‖: C C/B | Am F | C F | C G :‖

Chorus 1

C   C/B   Am F
No woman, no cry,

C   F   C   G
No woman, no cry,

C   C/B   Am F
No woman, no cry,

C   F   C   G
No woman, no cry.

Verse 1

              C   C/B   Am   F
Say, say,   said I remember when we used to sit

C   C/B   Am   F
In the government yard in Trenchtown,

C   C/B   Am   F
Oba-observing the hypocrites

              C   G/B   Am   F
As they would mingle with the good people we meet.

C   C/B   Am   F
Good friends we have had, oh good friends we've lost

C C/B   Am F
Along the way.

C   C/B   Am   F
In this bright future you can't forget your past,

C   C/B Am F
So dry your tears, I say, and

Chorus 2

    C   C/B   Am F
No woman, no cry,

    C   F   C   G
No woman, no cry,

    C   C/B   Am   F
Here little darlin',   don't shed no tears,

    C   F   C   G
No woman, no cry.

Verse 2

         C   C/B Am   F
Said, said,   said I remember when we used to sit

    C   C/B   Am   F
In the government yard in Trenchtown,

    C   C/B   Am   F
And then Georgie would make the fire light

         C   C/B   Am F
As it was   log wood burnin' through the night.

    C   C/B   Am   F
Then we would cook corn meal porridge

    C   C/B   Am F
Of which I'll share with you.

    C   C/B   Am   F
My feet is my only carriage

    C   C/B   Am   F
So I've got to push on through.

Bridge

   ‖:   C   C/B
     Ev'rything's gonna be alright,

Am   F   G
     Ev'rything's gonna be alright. :‖ *Play 4 times*

Chorus 3

        C   C/B Am F
No woman, no cry,

             C   F   C   G
No, no woman, no woman, no cry.

    C   C/B   Am   F
Oh, little sister, don't shed no tears,

    C   F   C   G
No woman, no cry.

Solo

   ‖: C C/B │ Am F │ C F   │ C G :‖ *Play 4 times*

     C   G/B Am   F
Said, said, said I remember when we used to sit

   C   G/B   Am   F
In the government yard in Trenchtown,

   C   G/B   Am   F
And then Georgie would make the fire light

     C   G/B   Am F
As it was log wood burnin' through the night.

   C   G/B   Am   F
Then we would cook corn meal porridge

   C   G/B   Am F
Of which I'll share with you.

   C   G/B   Am   F
My feet is my only carriage

   C   G/B   Am
So I've got to push on through,

    F   G
But while I'm gone I mean.

   C G/B   Am F
No woman, no cry,

   C F   C   G
No woman, no cry,

   C   G/B   Am   F
Oh c'mon little darlin', say don't shed no tears,

   C F   C G
No woman, no cry, yeah!

   C   G/B Am   F
(Little darlin', don't shed no tears,

   C F   C   G
No woman, no cry.

   C   F C   C
Little sister, don't shed no tears,

    F   C G
No woman, no cry.)

| C G/B | Am F | C F | C G |

| C G/B | Am F | C F Em Dm | Cadd⁹ ‖

ROAD RAGE

Words & Music by Cerys Matthews, Mark Roberts, Aled Richards, Paul Jones & Owen Powell

Tune down a semitone

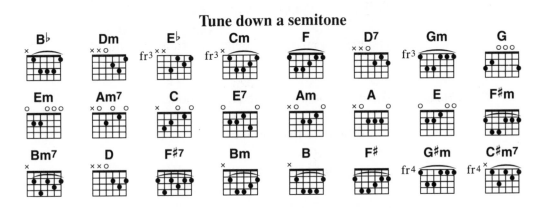

Verse 1

      B♭   **Dm**

If all you've got to do today is find   peace of mind

      E♭   **Cm**   **F**

Come round, you can take a piece of mine.

      B♭   **Dm**

And if all you've got to do today is hesitate,

      E♭   **Cm**   **F**

Come here, you can leave it late with me.

Pre-chorus 1

     D7   **Gm**   **D7**

You could be taking it easy on yourself,

                             Gm   **D7**

You should be making it easy on yourself,

'Cause you and I know.

Chorus 1

     G   **D7**   **Em**

It's all over the front page, you give me road rage,

                 Am7

Racing through the best days,

        G   **D7**

It's up to you, boy, you're driving me crazy,

              Em   **Am7**

Thinking you may be losing your mind.

Verse 2

         C   Em
If all you've got to prove today is your innocence,
     F   Dm   G
Calm down, you're as guilty as can be.
    C   Em
If all you've got to lose alludes to yesterday,
      F   Dm   G
Yesterday's through, now do anything you please.

Pre-chorus 2

    E7   Am   E7
You could be taking it easy on yourself,
                  Am   E7
You should be making it easy on yourself

'Cause you and I know,

Chorus 2

   A   E   F♯m
It's all over the front page, you give me road rage,
        Bm7
Racing through the best days,
     A   E
It's up to you, boy, you're driving me crazy,
       F♯m   Bm7
Thinking you may be losing your mind.
        E
You're losing your mind.

Bridge

A   Bm7   E
You, you've been racing through the best days
A   Bm7   E
You, you've been racing through the best days.
A
Space age, road rage, fast lane.

Verse 3

       D   F♯m
And if all you've got to do today is find peace of mind
    G   Em   A
Come here, you can take a piece of mine.

Pre-chorus 3

   F♯7   Bm   F♯7
You could be taking it easy on yourself,
                 Bm   F♯7
You should be making it easy on yourself,

'Cause you and I know,

Chorus 3

B   F#   G#m
It's all over the front page, you give me road rage,

                C#m7
Racing through the best days,

           B   F#m
It's up to you, boy, you're driving me crazy,

               G#m   C#m7
Thinking you may be losing your mind.

But you and I know,

Chorus 4

B   F#   G#m
We all live in the space age, coming down with road rage,

                C#m7
Racing through the best days

           B   F#
It's up to you, boy, you're driving me crazy,

               G#m   C#m7
Thinking you may be losing your mind.

Coda

B   F#   G#m   C#m7
(It's not over, it's not over, it's not over)

B   F#   G#m   C#m7
(It's not over, it's not over, it's not over) you and I know

B   F#   G#m
We all live in the space age, you give me road rage,

                C#m7
Racing to the best days

           B   F#
It's up to you boy, you're driving me crazy,

               G#m   C#m7
Thinking you may be losing your mind.

                    B   F#
‖:Losing your mind, you're losing your mind,

             G#m   C#m7
Losing your mind, you're losing your mind. :‖ *Repeat to fade*

S.O.S.

Words & Music by Benny Andersson, Björn Ulvaeus & Stig Anderson

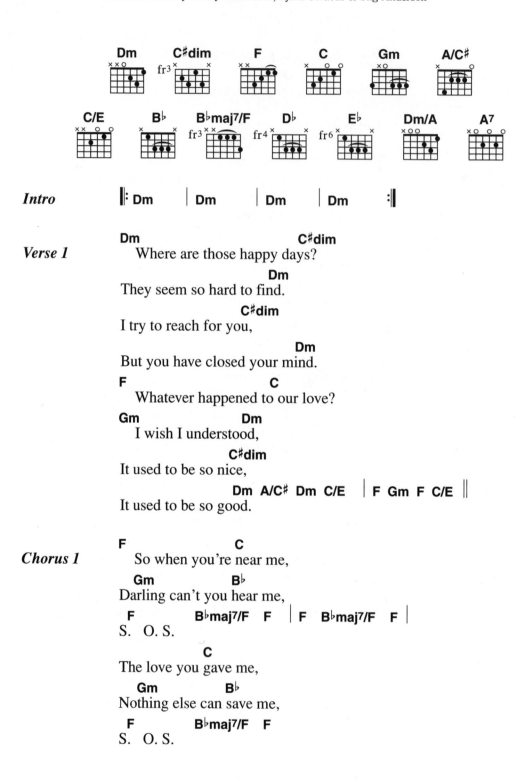

Intro ‖: Dm | Dm | Dm | Dm :‖

Verse 1

Dm   C#dim
   Where are those happy days?
                                 Dm
They seem so hard to find.
                         C#dim
I try to reach for you,
                                    Dm
But you have closed your mind.
F   C
   Whatever happened to our love?
Gm   Dm
   I wish I understood,
                            C#dim
It used to be so nice,
                       Dm A/C# Dm C/E | F Gm F C/E ‖
It used to be so good.

Chorus 1

F   C
   So when you're near me,
Gm   B♭
Darling can't you hear me,
   F   B♭maj7/F F | F B♭maj7/F F |
S. O. S.
                    C
The love you gave me,
   Gm   B♭
Nothing else can save me,
   F   B♭maj7/F F
S. O. S.

cont.

        B♭
When you're gone,

      D♭   **E♭**   **F**
How can I   even try to go on?

        B♭
When you're gone,

      D♭   **E♭**   **F**
Though I try, how can I   carry on?

Verse 2

Dm   **C♯dim**
  You seem so far away,

                 Dm
Though you are standing near.

           C♯dim
You made me feel alive,

              Dm
But something died I fear.

F   **C**
  I really tried to make it out,

Gm   **Dm**
  I wish I understood.

              C♯dim
What happened to our love,

      Dm A/C♯ Dm C/E | **F Gm F C/E** ‖
It used to be so good?

Chorus 2   As Chorus 1

Link | **Dm/A** | **A7** | **Dm/A** | **Dm/A** | **A7** | **Dm A/C♯ F C/E**‖

Chorus 3   As Chorus 1

Outro

F   **B♭**
  When you're gone,

      D♭   **E♭**   **F**
How can I   even try to go on?

        B♭
When you're gone,

      D♭   **E♭**   **F**
Though I try, how can I   carry on?

  | **Dm** | **Dm** | **Dm** ‖

STRAWBERRY FIELDS FOREVER

Words & Music by John Lennon & Paul McCartney

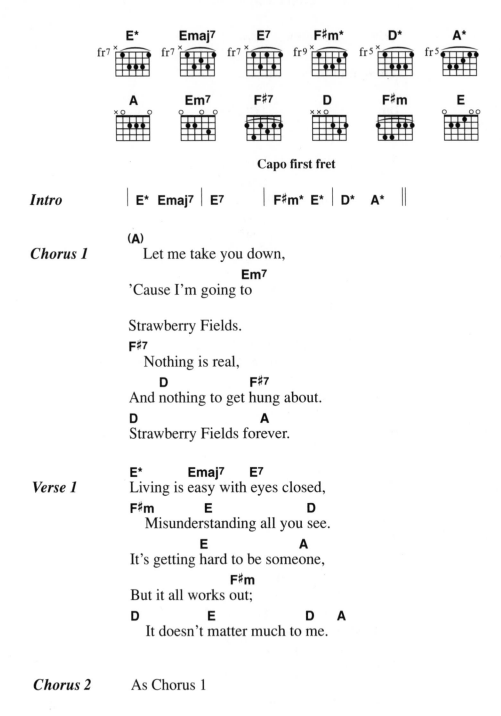

Capo first fret

Intro | E* Emaj⁷ | E⁷ | F♯m* E* | D*   A* ||

Chorus 1

(A)
Let me take you down,
               Em⁷
'Cause I'm going to

Strawberry Fields.
F♯7
   Nothing is real,
         D   **F♯7**
And nothing to get hung about.
D   **A**
Strawberry Fields forever.

Verse 1

E*   **Emaj⁷**   **E⁷**
Living is easy with eyes closed,
F♯m   **E**   **D**
   Misunderstanding all you see.
               E   **A**
It's getting hard to be someone,
                  F♯m
But it all works out;
D   **E**   **D** **A**
   It doesn't matter much to me.

Chorus 2   As Chorus 1

Verse 2

E*   Emaj7   E7
No-one I think is in my tree,

F#m   E   D
   I mean, it must be high or low.

          E   A
That is, you can't, you know, tune in,

      F#m
But it's all right.

D   E   D   A
   That is, I think it's not too bad.

Chorus 3   As Chorus 1

Verse 3

E*   Emaj7   E7
Always know, sometimes think it's me,

F#m   E   D
   But you know, I know when it's a dream.

         E   A
I think a 'No', I mean a 'Yes',

        F#m
But it's all wrong.

D   E   D   A
   That is, I think I disagree.

Chorus 4

(A)
   Let me take you down,

                Em7
'Cause I'm going to

Strawberry Fields.

F#7
   Nothing is real,

       D   F#7
And nothing to get hung about.

D   A   F#m
Strawberry Fields forever,

D   A
Strawberry Fields forever,

D   E   D
Strawberry Fields forever.

Coda   ‖: A | A | A | A   :‖ *Repeat to fade*

SUSPICIOUS MINDS

Words & Music by Mark James

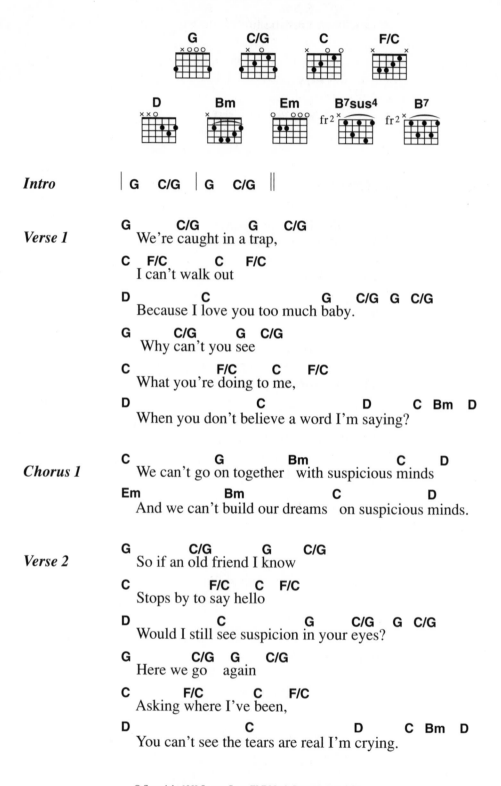

Intro | G C/G | G C/G ‖

Verse 1

G   C/G   G   C/G
We're caught in a trap,

C   F/C   C   F/C
I can't walk out

D   C   G   C/G G C/G
Because I love you too much baby.

G   C/G   G   C/G
Why can't you see

C   F/C   C   F/C
What you're doing to me,

D   C   D   C Bm D
When you don't believe a word I'm saying?

Chorus 1

C   G   Bm   C   D
We can't go on together   with suspicious minds

Em   Bm   C   D
And we can't build our dreams   on suspicious minds.

Verse 2

G   C/G   G   C/G
So if an old friend I know

C   F/C   C F/C
Stops by to say hello

D   C   G   C/G G C/G
Would I still see suspicion in your eyes?

G   C/G G   C/G
Here we go   again

C   F/C   C   F/C
Asking where I've been,

D   C   D   C Bm D
You can't see the tears are real I'm crying.

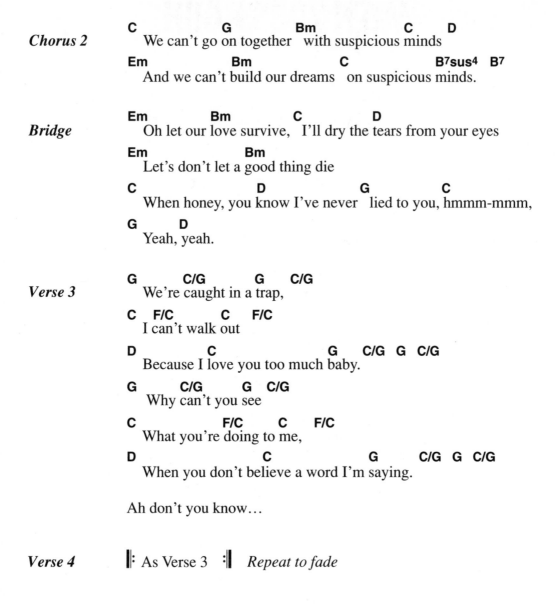

Chorus 2

    C   G   Bm   C   D
We can't go on together with suspicious minds

Em   Bm   C   B7sus4 B7
And we can't build our dreams on suspicious minds.

Bridge

Em   Bm   C   D
Oh let our love survive, I'll dry the tears from your eyes

Em   Bm
Let's don't let a good thing die

C   D   G   C
When honey, you know I've never lied to you, hmmm-mmm,

G   D
Yeah, yeah.

Verse 3

G   C/G   G   C/G
We're caught in a trap,

C F/C   C   F/C
I can't walk out

D   C   G   C/G G C/G
Because I love you too much baby.

G   C/G   G   C/G
 Why can't you see

C   F/C   C   F/C
What you're doing to me,

D   C   G   C/G G C/G
When you don't believe a word I'm saying.

Ah don't you know…

Verse 4   ‖: As Verse 3 :‖ *Repeat to fade*

WHEN YOU'RE GONE

Words & Music by Bryan Adams & Eliot Kennedy

Dm   F/C   C   G   B♭

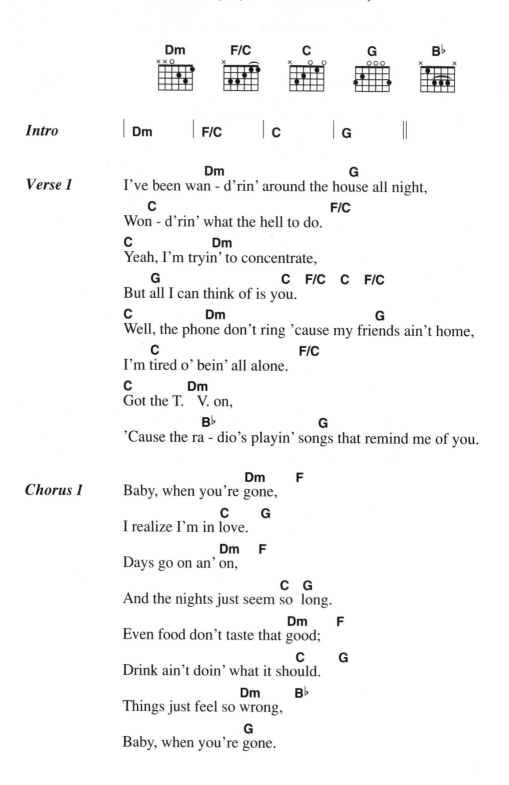

Intro | Dm | F/C | C | G   ‖

Verse 1

                   Dm   **G**
I've been wan - d'rin' around the house all night,
        C   **F/C**
Won - d'rin' what the hell to do.
C   **Dm**
Yeah, I'm tryin' to concentrate,
       G   **C F/C C F/C**
But all I can think of is you.
C   **Dm**   **G**
Well, the phone don't ring 'cause my friends ain't home,
       C   **F/C**
I'm tired o' bein' all alone.
C   **Dm**
Got the T. V. on,
            B♭   **G**
'Cause the ra - dio's playin' songs that remind me of you.

Chorus 1

                  Dm   **F**
Baby, when you're gone,
          C   **G**
I realize I'm in love.
       Dm   **F**
Days go on an' on,
                     C G
And the nights just seem so long.
                 Dm   **F**
Even food don't taste that good;
                C   **G**
Drink ain't doin' what it should.
       Dm   **B♭**
Things just feel so wrong,
       G
Baby, when you're gone.

Verse 2

                     Dm   **G**
I've been drivin' up an' down these streets,

   C   **F/C**
Try - in' to find somewhere to go.

C   **Dm**   **G**
Yeah, I'm lookin' for a familiar face,

               C **F/C** **C** **F/C**
But there's no one I know.

   C   **Dm**   **G**
Oh,   this is torture, this is pain;

      C   **F/C**   **C**
It feels like I'm gonna go in - sane.

   Dm   **B♭**
I hope you're coming back real soon,

      G
'Cause I don't know what to do.

Chorus 2   As Chorus 1

Solo   ‖: **Dm** | **G** | **C** | **C** :‖ *Play 3 times*

               | **Dm** | **B♭** | **G** | **G** ‖

Chorus 3

                    Dm   **F**
Baby, when you're gone,

               C   **G**
I realize I'm in love.

             Dm **F**
Days go on an' on,

                   C **G**
And the nights just seem so long.

                 Dm   **F**
Even food don't taste that good;

                 C   **G**
Drink ain't doin' what it should.

              Dm   **B♭**
Things just feel so wrong,

           G
Baby, when you're gone.

              Dm
Oh, baby when you're gone;

B♭   **F**
   Yes, baby, when you're gone.

WILD WOOD

Words & Music by Paul Weller

Bm **F♯m/B** **Em7** **F♯7♯5♭9**

Intro

| Bm | Bm | F♯m/B | F♯m/B |
| Em7 | F♯7♯5♭9 | Bm | Bm ‖

Verse 1

Bm   F♯m/B
High tide, mid-afternoon,
Em7   F♯7♯5♭9 Bm
People fly by in the traffic's boom.
                    F♯m/B
Knowing just where you're blowing,
Em7   F♯7♯5♭9   Bm
Getting to where you should be going.

Verse 2

              F♯m/B
Don't let them get you down,
Em7   F♯7♯5♭9 Bm
Making you feel   guilty about
                 F♯m/B
Golden rain will bring you riches,
Em7   F♯7♯5♭9 Bm
All the good things   you deserve now.

Solo

| Bm | Bm | F♯m/B | F♯m/B |
| Em7 | F♯7♯5♭9 | Bm | Bm ‖

Verse 3

Bm   F♯m/B
Climbing, forever trying,
Em7   F♯7♯5♭9 Bm
Find your way out of the wild, wild wood.
             F♯m/B
Now there's no justice,
       Em7   F♯7♯5♭9   Bm
You've only yourself that you can trust in.

Verse 4

Bm   F#m/B
And I said, high tide mid-afternoon,

      Em7   F#7$^{\sharp5}_{\flat9}$ Bm
Woah, people fly by in the traffic's boom.

                      F#m/B
Knowing just where you're blowing,

Em7   F#7$^{\sharp5}_{\flat9}$ Bm
Getting to where you should be going.

Solo

| Bm | Bm | F#m/B | F#m/B |

| Em7 | F#7$^{\sharp5}_{\flat9}$ | Bm | Bm ‖

Verse 5

Bm   F#m/B
Day by day your world fades away,

Em7   F#7$^{\sharp5}_{\flat9}$ Bm
Waiting to feel all the dreams that say

                      F#m/B
Golden rain will bring you riches,

Em7   F#7$^{\sharp5}_{\flat9}$ Bm
All the good things   you deserve now, and I say,

Verse 6

               F#m/B
Climbing, forever trying

              Em7   F#7$^{\sharp5}_{\flat9}$ Bm
You're gonna find your way out of the wild, wild wood.

                 Em7   F#7$^{\sharp5}_{\flat9}$
I said you're gonna find your way out

      Bm
Of the wild, wild wood.

YOU DON'T CARE ABOUT US

Words & Music by Placebo

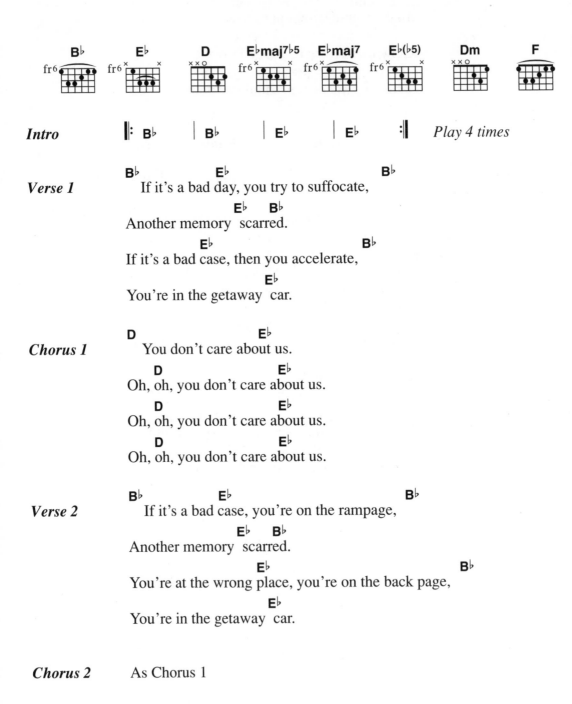

Intro ‖: B♭ | B♭ | E♭ | E♭ :‖   *Play 4 times*

Verse 1

B♭   E♭   B♭
 If it's a bad day, you try to suffocate,

     E♭ B♭
Another memory scarred.

     E♭   B♭
If it's a bad case, then you accelerate,

       E♭
You're in the getaway car.

Chorus 1

 D   E♭
 You don't care about us.

  D   E♭
Oh, oh, you don't care about us.

  D   E♭
Oh, oh, you don't care about us.

  D   E♭
Oh, oh, you don't care about us.

Verse 2

B♭   E♭   B♭
 If it's a bad case, you're on the rampage,

     E♭ B♭
Another memory scarred.

       E♭   B♭
You're at the wrong place, you're on the back page,

       E♭
You're in the getaway car.

Chorus 2 As Chorus 1

Middle

E♭maj7♭5 E♭   E♭maj7 E♭(♭5)
          It's your age.   It's my rage.

E♭maj7♭5 E♭   E♭maj7 E♭(♭5)
          It's your age.   It's my rage.

| B♭ | B♭ | Dm | Dm | |

| B♭ | B♭ | Dm   F | F   ‖

Verse 3

B♭   E♭   B♭
    You're too complicated, we should separate it,
                    E♭   B♭
You're just confiscating, you're exasperating.
                    E♭   B♭
This degeneration, mental masturbation,
                        E♭   D
Think I'll leave it all behind, save this bleeding heart of mine.

Link

                E♭
It's a matter of trust,
D   E♭
    It's a matter of trust,
D   E♭
    It's a matter of trust,
D   E♭
    It's a matter of trust.

Because…

Chorus 3   As Chorus 1

Middle 2   As Middle 1

Outro

| B♭ | B♭ | Dm | Dm | |

| B♭ | B♭ | Dm   F | F | B♭   ‖

YOU'RE STILL THE ONE

Words & Music by Shania Twain & R.J. Lange

D   **D/F♯**   **G**   **A**   **Em⁷**

Capo first fret

Intro | D | D/F♯ | G | A ||

Verse 1

```
D                      D/F♯
  Looks like we made it,
G                      A
Look how far we've come my baby,
D                              D/F♯
  We might have took the long way,
G                      A
  We knew we'd get there some day.
D          D/F♯  G            A
  They said,  I bet  they'll never make it,
             D     G     A
But just look at us holding on.
                   D     G     A     G
We're still together, still going strong.
```

Chorus 1

```
D                          G
  You're still the one I run to,
Em⁷                A
  The one that I belong to.
D                      G      A     G
  You're still the one I want for life.
D                      G
  You're still the one that I  love,
Em⁷                A
  The only one I dream of.
D                      G      A
  You're still the one I kiss goodnight.
```

Verse 2

   D   D/F♯
Ain't nothing better,

G   A
We beat the odds together.

D   D/F♯
I'm glad we didn't listen,

G   A
Look at what we would be missing.

D   D/F♯ G   A
They said, I bet they'll never make it,

         D   G   A
But just look at us holding on.

                 D   G   A
We're still together, still going strong.

Chorus 2

D   G
You're still the one I run to,

Em⁷   A
The one that I belong to.

D   G   A   G
You're still the one I want for life.

D   G
You're still the one that I love,

Em⁷   A
The only one I dream of.

D   G   A
You're still the one I kiss goodnight.

You're still the one.

Instrumental ‖: D | G | A | A   :‖

Chorus 3

D   G
You're still the one I run to,

Em⁷   A
The one that I belong to.

D   G   A   G
You're still the one I want for life.

D   G
You're still the one that I love,

Em⁷   A
The only one I dream of.

D   G   A
You're still the one I kiss goodnight.

D   D/F♯
I'm so glad we made it,

G   A
Look how far we've come baby.

SULTANS OF SWING

Words & Music by Mark Knopfler

Dm   C   B♭   A   F

Intro

‖: Dm | Dm | Dm | Dm :‖

Verse 1

           Dm   C   B♭   A
You get a shiver in the dark, it's a-rainin' in the park, but meantime
Dm   C   B♭   A
   South of the river, you stop and you hold everything.
F   C
   A band is blowin' dixie, double four time,
B♭   Dm   B♭   C
   You feel alright when you hear that music ring.

Verse 2

           Dm   C   B♭   A
Well now you step inside but you don't see too many faces
Dm   C   B♭   A
   Comin' in out of the rain to hear the jazz go down.
F   C
   Competition in other places,
B♭   Dm   B♭
   Oh, but the horns, they're blowin' that sound.
C   B♭
   Way on down South,
C   Dm   C B♭ C
   Way on down South in London town.

Link

| Dm   C | B♭ | C | C ‖

Verse 3

           Dm   C B♭   A
You check out Guitar George,   he knows   all the chords,
Dm   C   B♭   A
   Mind he's strictly rhythm, he doesn't want to make it cry or sing.
F   C
   Yes, and an old guitar is all he can afford
B♭   Dm   B♭ C
   When he gets up under the lights to play his thing.

Verse 4

```
         Dm                C   B♭          A
         And Harry doesn't mind   if he doesn't   make the scene,
         Dm                   C      B♭   A
         He's got a day-time job, he's doing alright.
         F                               C
         He can play the honky-tonk like anything,
         B♭                        Dm      B♭  C
         Savin' it up for Friday night
                        B♭   C
         With the Sultans,
                            Dm   C │ B♭       │ C        │ C        ‖
         We're the Sultans of Swing
```

Link

```
         │ Dm   C │ B♭      │ C       │ C       ‖
```

Verse 5

```
            Dm                      C     B♭        A
         Then a crowd of young boys they're foolin' around in the corner,
         Dm                       C
         Drunk and dressed in their best brown baggies
         B♭              A
         And their platform soles.
         F                               C
         They don't give a damn about any trumpet playin' band,
         B♭                        Dm   B♭
         It ain't what they call rock'n'roll.
         C                 B♭
         Then the Sultans,
         C                    Dm   C │ B♭    C │ C      │ C      ‖
         Yeah the Sultans play creole.
```

Link

```
         │ Dm   C │ B♭      │ C       │ C       ‖
```

Solo 1

```
         ‖: Dm      │ C   B♭  │ A       │ A       :‖

         │ F       │ F       │ C       │ C        │

         │ B♭      │ B♭      │ Dm      │ Dm   B♭  │

         │ C       │ C   B♭ │ C        │ C        │

         ‖: Dm   C │ B♭      │ C       │ C       :‖
```

Verse 6

Dm   C   B♭ A
And then the man he steps right up to the microphone

Dm   C   B♭ A
And says at last just as the time bell rings,

F   C
"Goodnight, now it's time to go home."

B♭   Dm B♭
Then he makes it fast with one more thing.

C   B♭
We are the Sultans,

C   Dm C | B♭ | C | C   ‖
We are the Sultans of swing.

Link | Dm C | B♭ | C | C   ‖

Solo 2 ‖: Dm C | B♭ | C | C :‖ *Repeat to fade*

11/01 (42064)